Le
Livre
de
Poche
Jeunesse

UNE ROBE POUR VERSAILLES

Jeanne Albrent

UNE ROBE POUR VERSAILLES

À mes parents

1

Une tenue pour la favorite

Octobre 1663

« C'est magique », songea Ariane, le souffle coupé, en entrant pour la première fois à Versailles. Elle avait l'impression de s'être glissée en catimini dans un conte de fées.

— Incroyable ! murmura Élise, sa cousine, qui se tenait à son côté.

Tout était trop somptueux pour être vrai. Chaque pièce paraissait plus neuve et plus immense que la précédente ; pas un meuble qui ne fût verni, doré, sculpté ; pas un mur qui ne fût couvert de marbre, de dorures, de tableaux et de tapisseries…

— Qui vous a demandé de vous arrêter ? protesta Blanchette, leur patronne, d'un ton aigre.

En soupirant, Ariane baissa les yeux et se mêla au

ballet des serviteurs. Il y avait six ans qu'elle était à Paris, six ans qu'elle travaillait pour Blanchette, sa tante, et le refrain n'avait pas changé : coudre, coudre, coudre !

Elles traversèrent la foule des domestiques qui tourbillonnait de salle en salle : ici, c'était les musiciens qui s'accordaient ; là-bas étaient dressées les tables du buffet ; un peu plus loin on achevait d'allumer les bougies... Versailles, le petit château de campagne que Louis XIV ne cessait d'embellir, s'apprêtait à recevoir de somptueuses fêtes.

— C'est splendide, souffla Élise, la fille de Blanchette, qui était elle aussi apprentie couturière.

— Allez-y, prenez votre temps, admirez, persifla sa mère.

— Dépêchons-nous, souffla Ariane à sa cousine, il ne faudrait pas être en retard pour... pour...

D'angoisse, elle en bafouillait, mais c'était sans importance : Élise savait parfaitement ce que ce « *pour* » signifiait. Comment oublier que ce jour allait peut-être changer leurs vies ? Elles étaient sur le point de rencontrer la femme que toute la Cour enviait, et que le roi aimait : Louise de La Vallière. La favorite. Sa liaison avec Louis XIV durait depuis près de trois ans, et elle était plus que jamais en faveur.

— Regarde cette robe ! murmura Élise en attrapant sa cousine par le bras.

Au loin, Ariane aperçut une femme qui portait une magnifique tenue couleur d'or, derrière laquelle tombait une longue traîne de taffetas. Les deux cousines échangèrent un regard ravi. Elles partageaient une même passion pour les étoffes, les vêtements, la mode.

— Et regarde ce pourpoint[1] ! renchérit Ariane comme un homme, couvert de tissus précieux et de bijoux, passait non loin d'elles. Tu as vu ?

Blanchette les foudroya du regard et siffla :

— Au fond, Mademoiselle de La Vallière peut bien attendre.

La mention de la favorite, loin de calmer les deux cousines, les énerva un peu plus. Il y avait des semaines qu'elles rêvaient de cette rencontre, qu'elles en discutaient fiévreusement toutes les nuits, espérant être distinguées par la maîtresse du roi. Qui sait ? Peut-être deviendraient-elles les prochaines couturières en vogue de la Cour ?

Elles s'avançaient en chuchotant dans le couloir lorsqu'une fois de plus, Élise se figea. Ariane, intriguée, suivit son regard. Cette fois, ce n'était pas une robe qui avait attiré l'œil de sa cousine, mais plusieurs femmes qui évoluaient gracieusement dans le couloir. Elles étaient d'une beauté singulière ; et ce groupe élégant et joyeux avait quelque chose de fascinant.

Intriguée par ces inconnues, Ariane s'arrêta elle aussi. Qui étaient-elles ? Elles dégageaient une assurance incroyable ; elles semblaient avoir conscience des regards qu'elles attiraient. En passant devant les deux

1. Vêtement masculin couvrant le haut du corps.

cousines, l'une d'elles, une grande femme rousse, leur adressa même un petit sourire.

— Avancez ! ordonna sévèrement Blanchette.

Surprises par la colère qu'elles devinaient dans sa voix, Ariane et Élise la suivirent sans broncher. S'éloignant à grands pas, Blanchette les mit en garde :

— Ignorez-les ! Ce sont les comédiennes de la troupe de Molière !

Molière ! Ce nom, l'un des plus célèbres de Paris, fit tressaillir les deux jeunes filles : il fleurait le succès et la fortune autant que le scandale. Presque sans le vouloir, Ariane se retourna et suivit des yeux les quatre femmes qui s'éloignaient, précédées malgré elles de rumeurs et de médisances.

« Elle a l'air si jeune ! » songea Ariane, en faisant sa révérence à Mademoiselle de La Vallière. Immédiatement, la jeune couturière avait été frappée par la lumière bleue de son regard, par son joli visage et sa démarche fragile, légèrement boitillante. Son sourire, lui aussi, avait quelque chose de très doux.

— Alors ? demanda la favorite.

— Nous l'avons, Madame, répondit Blanchette.

D'un geste sec, elle fit signe à Ariane d'ouvrir le paquet. Des flots de satin gris et de dentelle s'en échappèrent ; le tissu scintillant de la robe semblait couler sur la table, inondant la pièce de sa lumière.

Depuis toujours, Ariane se plaisait à imaginer les vêtements les plus somptueux, les plus élégants. « Si j'étais une princesse, se disait-elle, j'aimerais porter… », eh bien, justement, elle aurait aimé porter cette robe. Louise l'aimerait-elle ?

Élise lui saisit la main, et chuchota :

— Ne t'en fais pas, je suis sûre que ça lui plaira.

Le cœur battant, Ariane sourit à sa cousine qui était aussi sa complice, sa meilleure amie. Elles avaient travaillé ensemble sur cette robe, corrigeant, améliorant les dessins l'une de l'autre ; et ensemble, elles attendaient à présent le verdict de la favorite.

Lorsque Louise eut enfilé la robe, il sembla à Ariane qu'elle la voyait pour la première fois. Sur une jupe de satin gris pâle, brodé d'arabesques, retombait, ouverte, une seconde jupe d'un gris plus soutenu, bouffante et ornée de rubans clairs. Les manches étaient couvertes de dentelle d'Alençon. Ce n'était pas la robe d'une reine, non ; c'était la robe discrète et splendide d'une fée.

— C'est magnifique, murmura Louise de La Vallière.

Puis, se tournant vers Ariane, elle déclara d'une voix douce :

— Je ne sais comment vous remercier. J'ai rarement vu une si belle robe… c'est tout à fait ce que je voulais.

Ariane sourit, incapable de prononcer un mot. Était-ce un rêve ? Ou Louise de La Vallière était-elle vraiment en train de la féliciter ?

— En fait, poursuivit la maîtresse du roi, je cherchais justement une couturière, et…

Louise s'arrêta un instant, et regarda Ariane en souriant. Celle-ci n'en croyait pas ses oreilles : allait-elle vraiment devenir couturière de la favorite ? Elle sourit en retour, s'apprêtant à répondre, à préciser qu'elle n'avait pas réalisé la robe seule, qu'il fallait également féliciter Élise, lorsque Blanchette prit la parole d'une voix mielleuse :

— Ariane n'est qu'une servante, elle n'a aucun talent, susurra-t-elle. C'est Élise, ma fille, qui a réalisé seule cette robe.

Hébétée, Ariane fixait sa tante qui commençait à chanter les louanges d'Élise, « la plus douée des jeunes couturières ». Quel toupet ! Décidément, Blanchette ne reculait devant aucune bassesse. Mentir à la favorite ! Heureusement, Élise, elle, était loyale. Élise allait contredire sa mère.

Mais les secondes passèrent et Élise demeura silencieuse.

Louise, à présent, ne souriait plus qu'à Élise ; elle hochait la tête, visiblement ravie, en écoutant les flatteries de Blanchette. Finalement, avec un sourire qu'Ariane eût trouvé adorable s'il n'avait été à ce point blessant, la favorite demanda :

— Peut-être qu'Élise accepterait de devenir ma couturière personnelle ?

Sans un regard pour Ariane, Élise hocha la tête. La

douleur qui envahit Ariane l'étourdit presque. Non, c'était impossible… Comment Élise, sa cousine, son amie – presque sa sœur – pouvait-elle lui faire cela ? Elle en aurait pleuré !

— C'est décidé, alors ! trancha Louise de son même ton aimable.

Ariane comprenait, à présent, pourquoi Blanchette lui avait laissé porter la robe : elle n'était venue que pour subir les réprimandes de Louise en cas d'échec. Mais puisque la robe lui avait plu, eh bien, Blanchette n'avait plus besoin de sa nièce… Louise sourit à Élise un instant de plus, puis ajouta :

— Mais je dois aller retrouver Sa Majesté. C'est bientôt l'heure du théâtre… Martine, ma femme de chambre, vous expliquera exactement ce qu'il me faudrait…

L'instant d'après, la favorite avait disparu. Ariane fixa la porte par laquelle elle était sortie, puis elle tourna la tête vers Élise. Élise, qui était censée être son amie, mais venait de mentir pour lui voler sa place… Élise détourna les yeux, rougit, puis ouvrit la bouche comme pour parler. Mais sa mère déclara sèchement :

— Dans l'intérêt de la boutique, Élise seule doit se faire un nom. C'est elle, et elle seule, qui est mon héritière.

Déjà la servante parlait de mesures, de délais, de prix… Elle décrivait la robe à réaliser, une robe qui ne craignît pas la boue des marais entourant le château de Versailles, une robe assez large pour dissimuler la grossesse de Louise... Blanchette prenait des notes, avec une étincelle de triomphe dans le regard. Quant à Élise, elle haussait les sourcils d'un air attentif. Ariane les regardait en silence : c'était tellement injuste !

Personne ne faisait plus attention à elle. Sentant venir les larmes, elle quitta la pièce : elle ne pleurerait pas devant Blanchette ! Elle avait compris : toute sa vie, elle serait reléguée au fond des ateliers...

Ariane s'adossa contre la porte fermée : elle avait l'impression d'être saisie de vertige. Autour d'elle, le château était de plus en plus agité, de plus en plus fiévreux ; la foule des nobles et des serviteurs semblait s'épaissir à chaque instant. Deux femmes somptueusement vêtues frôlèrent Ariane qui saisit au vol des bribes de leur conversation :

— ... Molière va jouer sa nouvelle pièce devant le roi, disait l'une...

— J'ai tellement hâte de la voir ! C'est l'événement du jour ! répondait l'autre...

Molière... Pour la seconde fois ce jour-là, le nom du célèbre et scandaleux comédien fit tressaillir Ariane. Il était comme le symbole d'un monde brillant et raffiné qu'elle ne verrait jamais qu'en rêve... Deux autres nobles passèrent tout près d'elle :

— ... bijoux de la reine, entendit Ariane.

— Et la robe de Madame, avez-vous vu le satin qui...

L'instant d'après, elles avaient disparu au milieu des remous frénétiques de la foule. Les bruits de pas, les rires et les éclats de voix marquaient le tempo endiablé de ce tourbillon humain. Les nobles se pressaient, tonitruants, agités, somptueux. Le souffle coupé, Ariane contemplait Versailles en fête. Elle songea que décidément, le lieu avait la splendeur des rêves et la violence des cauchemars…

2

Fils d'or, rubans de soie et pretintailles

Janvier 1664

« Enfin ! »

Ariane, soulagée, referma la porte. La dernière cliente venait de partir. La jeune couturière considéra avec satisfaction la boutique déserte. Tout semblait soudain si tranquille !

Patiemment, elle entreprit d'enrouler les tissus éparpillés sur les comptoirs. Le magasin de Blanchette était de plus en plus fréquenté : la pièce était grande, lumineuse et décorée avec goût ; aux murs étaient suspendues des robes à la dernière mode.

« Et surtout, songea amèrement Ariane, c'est ici que travaille la couturière de Mademoiselle de La Vallière ! »

Penser à Élise l'exaspéra tant qu'elle faillit déchirer une dentelle en la reposant sur l'étagère. C'était tellement injuste ! Élise se rendait au Louvre, Élise rencontrait Mademoiselle de La Vallière, et elle se vantait d'avoir réalisé la robe de baptême du fils du roi et de la favorite !

« Je dois rester calme », se morigéna Ariane.

Elle ne pouvait pas se permettre d'afficher sa rancœur, pas si elle voulait conserver sa place à la boutique. Elle se concentra sur des pensées plus gaies : ce soir aurait lieu le bal de la corporation des tailleurs, qu'elle attendait avec impatience. Enfin, une occasion de quitter l'atelier ! Elle s'était confectionné une superbe robe de serge foncée, et elle n'avait qu'une hâte : l'enfiler !

Joyeusement, elle poussa la porte de l'atelier, où cousaient Blanchette et Élise.

— La mère du roi ne fait plus les modes, décrétait justement sa cousine en appuyant un passe-carreau[1] contre la robe qu'elle fabriquait. D'ailleurs, la sobriété, c'est évident, plus personne n'en veut. Il faut des robes éclatantes. Ce que veut la Cour, ce sont des fêtes inoubliables, des costumes somptueux… N'est-ce pas, Ariane ?

Elle ne répondit pas. Depuis trois mois – depuis Versailles – elle n'avait adressé la parole à sa cousine, et elle n'allait pas commencer aujourd'hui. Élise

1. Morceau de bois qui servait à aplatir le tissu pour faciliter la couture.

l'avait trahie ; Élise avait volé sa robe, sa place de couturière, sa réputation.

Un silence tendu s'abattit sur l'atelier tandis que, tête baissée, Ariane s'approchait du grand établi au centre de la pièce. Sans un mot, elle passa au milieu des chutes d'étoffes qui jonchaient le sol, des corbeilles pleines de tissu, des bobines et des ciseaux tombés sur le carrelage.

Finalement, Élise reprit la parole, avec dans la voix une nuance de tristesse. Ariane songea qu'en l'ignorant, elle venait de marquer un point.

— On m'a appris – c'est encore confidentiel – que le roi avait l'intention de donner de grandes fêtes, au printemps prochain. Tous les grands du royaume seront invités !

Élise avait l'air de savoir tout de la noblesse, de connaître intimement les plus grandes dames et d'être au fait de tous les secrets royaux ; c'était comme si elle faisait partie, elle aussi, de ce monde de rêve que constituait la Cour.

— Le roi passe son temps à donner des fêtes, relativisa sa mère.

— Non, non, cette fois, insista Élise, ce seront les plus grandes fêtes qu'on ait jamais vues : elles dureront plusieurs jours, dans les jardins de Versailles. Le roi offrira des jeux, des pièces de théâtre, des banquets !

Ariane soupira. À cette occasion, les dames de la Cour ne manqueraient pas de se presser dans la boutique en réclamant que la *couturière de Mlle de La Vallière* leur fît de nouvelles robes !

Ariane sortit de la poche de son tablier les longues bandes de papier avec lesquelles elle avait pris les mesures d'une cliente – une riche veuve – un peu plus tôt ce jour-là, et entreprit de les reporter sur le tissu de deuil. Bien entendu, sa patronne s'arrangeait toujours pour lui attribuer les travaux les moins intéressants.

— Officiellement, poursuivait Élise, les fêtes seront données en l'honneur des deux reines : Marie-Thérèse, la femme du roi, et Anne d'Autriche, sa mère… mais on murmure qu'en fait, elles seront destinées à Mademoiselle de La Vallière…

— Cela veut probablement dire qu'il lui faudra de nouvelles robes, réfléchit tout haut sa mère, toujours pragmatique. Tu devrais commencer à y penser dès maintenant.

Un instant, il sembla à Ariane qu'Élise lui coulait, discrètement, un regard en coin. Elle devina instinctivement pourquoi : toutes leurs robes, jusqu'à présent, elles les avaient inventées à deux. Il y avait trois mois, travailler sans Élise aurait paru à Ariane aussi invraisemblable que de coudre sans aiguilles. Mais, depuis la trahison de sa cousine, Ariane avait farouchement refusé de collaborer avec elle.

— Je… je pensais à une robe toute dorée, brodée de fils d'or, hésita Élise, sans cesser d'observer Ariane. Parce que, tu sais, le roi aime être comparé au soleil, alors Louise pourrait avoir une robe couleur soleil... La jupe serait ornée de passements, de pretintailles...

Des pretintailles ! Ariane laissa échapper un petit rire dédaigneux : rien n'était plus laid que ces frises, ces franges, ces broderies et dentelles, dont les femmes à la mode chargeaient leurs robes et qui les rendaient si lourdes à porter.

— Tu as quelque chose à dire, peut-être ? demanda Blanchette, d'un ton glacial.

Ariane haussa les épaules, comme pour dire : « C'est sans importance », et reprit son travail. Qu'Élise fasse ce qu'elle voulait, ce n'était pas son problème.

— Il faudrait du satin doré, peut-être un peu de velours..., poursuivait cependant celle-ci.

Cette fois-ci, Ariane ricana franchement. Blanchette la foudroya du regard, et proféra un « eh bien ? » inquisiteur. Comme sa nièce ne répondait pas, elle ordonna :

— Parle !

Sa voix était si froide, si méchante, que la jeune fille, soudain, réalisa qu'elle était allée trop loin. Son insolence risquait de lui coûter cher.

— Parle ! répéta Blanchette, d'un ton plus menaçant encore.

Ariane comprit qu'elle n'avait pas le choix. Prudemment, elle expliqua :

— Le satin et le velours ne sont pas des tissus de printemps, ils ne se portent qu'en hiver, tout le monde le sait ! Mieux vaudrait utiliser du taffetas, ou de la toile de lin.

Élise, vexée, esquissa une moue boudeuse. Cependant Ariane poursuivait :

— Et puis, je ne crois pas que Louise de La Vallière veuille d'une robe couverte de pretintailles, et dorée de surcroît, elle qui cherche à rester discrète et à ne pas attirer l'attention ! Croyez-moi, elle ne voudra pas d'une robe tape-à-l'œil.

Ariane avait beau craindre d'être punie pour son arrogance, elle jubilait d'avoir ainsi cloué le bec à Élise. Elle imaginait parfaitement, elle, la robe qui irait à Louise de La Vallière : une toile de lin très pâle, bleue comme les yeux de la favorite, avec quelques discrètes broderies. Une jupe simple, à l'ancienne, mais légère et vaporeuse, comme une bouffée d'air au milieu des costumes empesés de la Cour !

Cependant, elle resta prudemment coite. Plus jamais Élise ne lui volerait ses idées. Un jour, elle se l'était juré, elle aurait sa propre clientèle, sa propre boutique, et créerait les plus belles robes de Paris !

— C'est l'heure, remarqua soudain Blanchette.

Précipitamment, Ariane reposa sur l'établi sa laine et ses ciseaux. C'était l'heure ! L'heure de se préparer pour le bal ! Pour une fois, elle allait passer la soirée à danser, à s'amuser, à rire, et non à s'abîmer les yeux en cousant à la lueur d'une chandelle !

Elle avait à peine fait un mètre, pourtant, que Blanchette lui déclarait d'un ton doucereux :

— Oh, Ariane, je pense qu'il vaut mieux que tu restes ici.

Quoi ? Comment osait-elle !

— Tu as du travail, et puis, après tout, tu sembles être tellement plus compétente que nous en matière de couture, il serait dommage de perdre ton temps à un bal.

Un instant, Ariane eut l'impression qu'elle allait se mettre à pleurer. Ce bal qu'elle attendait depuis des mois, Blanchette prétendait soudain l'en priver ! Élise, qui s'apprêtait à passer la porte, se retourna :

— Maman, Ariane a bien le droit d'aller au bal ! Ce n'est pas juste de l'empêcher de venir !

Élise ! Élise prenait sa défense ! Quelle hypocrite ! Ariane refusait sa pitié ; elle refusait sa sollicitude. Elle ne voulait rien devoir à Élise. D'un ton pincé, elle déclara :

— Ça m'est égal. Je préfère rester ici qu'aller au bal avec *elle*.

Presque immédiatement, la jeune fille se mordit les lèvres, regrettant ses paroles. Elle aurait voulu supplier Blanchette de la laisser venir, mais c'était trop tard : sa cousine et sa tante étaient déjà dans l'escalier.

Ariane entendit la porte de la boutique qui claquait, au loin, et réalisa qu'elle était seule. Elle traversa l'atelier et s'assit tout près de la cheminée, là où la cendre s'était éparpillée devant le foyer. Elle remit une bûche, et regarda les étincelles s'envoler dans le conduit.

Blanchette aurait été outrée de la voir ainsi paresser au coin du feu. Mais au diable Blanchette ! Ariane n'en pouvait plus de ces journées passées dans la boutique et l'atelier, à travailler, travailler sans cesse !

La chaleur du feu la rendait un peu somnolente ; tout en fixant les flammes et les braises rougeoyantes, la jeune couturière se mit à rêvasser.. Elle s'imaginait à Versailles, se promenant dans les allées, portant des tenues de soie brillante, couvertes de broderies précieuses… Les minutes, les heures peut-être, s'écoulèrent. Insensiblement, elle s'assoupit.

Elle fut réveillée par des coups frappés à la porte de la boutique. Était-ce Blanchette qui revenait ? Avait-elle changé d'avis, autorisait-elle Ariane à se joindre au bal ? La jeune couturière saisit une chandelle et se précipita vers la porte.

Mais, lorsqu'elle eut ouvert, elle s'arrêta, surprise, pour dévisager l'inconnue qui se tenait sur le seuil. C'était une grande femme rousse, d'une quarantaine d'années ; sa silhouette se découpait dans la nuit. Intriguée, Ariane détailla son visage : elle était persuadée de l'avoir déjà vue.

— Bonjour, déclara l'inconnue d'une voix douce. Je suis désolée de venir si tard – je vois bien que votre boutique est fermée.

À la lueur de la chandelle, son visage avait quelque chose de presque irréel. Qui était-elle donc ? Comme si elle avait perçu la question muette d'Ariane, l'inconnue se présenta :

— Je suis Madeleine Béjart, de la troupe de Molière.

Et, soudain, Ariane comprit pourquoi elle lui semblait si familière : c'était la femme qu'elle avait croisée, à Versailles, et qui lui avait souri. Madeleine Béjart ! La jeune couturière la dévisagea, incapable de contenir sa curiosité. Ainsi, elle avait devant elle la célèbre comédienne, la plus fidèle amie de Molière ! Celle qui, vingt ans plus tôt, avait accepté de jouer dans sa troupe alors qu'il n'était encore qu'un fils de tapissier, criblé de dettes !

— Molière, vous savez, le comédien, insista Madeleine.

Comme si Ariane avait pu ignorer qui était Molière ! Comme si quiconque, à Paris, pouvait n'avoir jamais entendu ce nom ! Soudain trop intimidée pour prononcer un mot, Ariane s'effaça et laissa entrer la comédienne dans la boutique.

— Je suis navrée de vous déranger si tard dans la soirée, s'excusa Madeleine Béjart, mais il me faut absolument une robe et notre tailleur habituel, Baraillon, est tombé malade…

Une robe pour *Madeleine Béjart* ! Ariane sentit toute sa tristesse l'abandonner d'un coup. Elle avait envie d'applaudir, de danser, d'éclater de rire. Mais, tâchant de garder son sérieux, elle demanda :

— Quel genre de robe ?

— Un costume de ballet. Nous dansons au Louvre, devant le roi, dans une semaine, et il me faut un costume d'Égyptienne. Pensez-vous pouvoir le faire ?

Ariane n'avait qu'une envie : accepter. Déjà, elle rêvait aux couleurs chatoyantes dont elle pourrait orner ce costume d'Égyptienne… Mais, bien sûr, il était impossible d'engager la boutique sans consulter d'abord Blanchette.

— Ma patronne n'est pas ici ce soir, expliqua-t-elle. Mais je peux déjà prendre vos mesures, et, si vous le souhaitez, vous pourrez repasser demain, pour en discuter avec elle…

À la grande joie d'Ariane, Madeleine acquiesça, et elles passèrent dans l'atelier. Tout en prenant les mesures de la comédienne, Ariane priait en silence pour que Blanchette acceptât de lui laisser faire la robe. Déjà, elle s'imaginait au Louvre, aidant Madeleine à enfiler le costume, recevant les compliments de Molière, et peut-être, du roi… Cette fois-ci, Ariane le sentait, elle tenait enfin une chance d'être reconnue, et, qui sait, de travailler pour la Cour !

3

Pour quelques chutes de satin

Élise poussa la porte de la boutique, Blanchette sur ses talons. La jeune fille était épuisée, et, au fond, un peu triste. Non qu'elle eût à se plaindre du bal : être devenue la couturière de Mademoiselle de La Vallière semblait l'avoir rendue populaire. Elle avait dansé gavottes et allemandes avec de jeunes tailleurs très sympathiques, avait discuté avec d'autres apprenties remplies d'admiration… Mais, malgré tout, pas une heure ne s'était écoulée sans qu'elle ne songe : « Si Ariane était là, je lui dirais… » ou : « Si Ariane était là, on rirait bien ».

Passant devant l'atelier, Élise remarqua le feu de cheminée qui mourait lentement. Près du foyer, une silhouette allongée : Ariane. De toute évidence, elle s'était endormie là. Élise s'approcha en silence, observant sa cousine assoupie sur le carrelage.

Son cœur se serra. Pendant six ans, elles avaient été inséparables. Elles avaient tout appris ensemble ; elles avaient partagé tous leurs secrets, leurs chagrins, leurs espoirs. Elles avaient passé leur enfance dans cet atelier, à coudre en rêvassant à haute voix. L'une d'elles lançait par exemple : « Peut-être qu'on fera une robe pour une duchesse ! » ; l'autre, immédiatement, ajoutait : « Et la reine la verra, et elle dira : *Mais d'où vient cette belle tenue ?* ». Puis, l'instant d'après, les deux fillettes imaginaient la boutique assaillie par les commandes de la Cour…

Mais ce temps-là était révolu. Depuis trois mois, Ariane refusait de lui parler. Elle ne lui disait pas bonjour – c'était à peine, d'ailleurs, si elle la regardait. Élise observa sa cousine endormie, la gorge nouée. Comment avaient-elles pu en arriver là ? Pendant quelques instants, un souvenir amer flotta dans son esprit. Versailles. Ariane ne lui avait pas pardonné Versailles.

Soudain, elle entendit la voix de Blanchette, qui derrière elle grommelait, scandalisée :

— Elle dort !

— Elle doit être fatiguée, maman, chuchota Élise.

— Fatiguée ? Elle prend ses aises, oui !

Sa mère ne faisait aucun effort pour baisser la voix – de toute évidence, elle espérait réveiller Ariane.

— Elle travaille dur, insista doucement Élise.

— Tu n'as pas à la protéger, répondit Blanchette

d'un ton sévère. N'oublie pas qu'Ariane ne sera jamais rien d'autre qu'une employée. À être trop gentille avec elle, tu finirais par lui donner des idées. Elle a de la chance d'être ici, et elle ferait mieux de mériter cette chance.

Élise acquiesça en silence, un peu mortifiée par la rebuffade. Sa mère, avec ses manières cassantes, avait le don de l'intimider. Sans ajouter un mot, Blanchette s'éloigna, et la jeune fille soupira. Il fallait qu'elle réveille Ariane ; celle-ci ne pouvait quand même pas passer la nuit sur le carrelage.

Un instant, elle hésita, et se rendit compte qu'elle avait peur d'affronter sa cousine : à chaque fois qu'elle se trouvait face à son silence glacial, elle avait honte. Elle se souvenait de ce jour, à Versailles, et le remords s'emparait d'elle.

Sur le moment, chez Louise de La Vallière, elle n'avait pas songé à mal. Il ne lui était pas venu à l'idée de contredire sa mère. Après tout, c'était elle qui dirigeait la boutique. Sans elle, ni Élise ni Ariane n'auraient même eu le droit d'être couturières : le métier était interdit aux femmes. La corporation des tailleurs avait fait une exception pour Blanchette, qui était la veuve d'un des leurs. Élise n'avait donc pas l'intention de contredire sa mère, sa patronne !

Mais toutes ces belles raisons ne pesaient pas grand-chose, quand se trouvait dans la balance l'amitié d'Ariane. Elle l'avait compris trop tard.

Doucement, Élise s'approcha de sa cousine et posa

la main sur son épaule. La jeune fille soupira ; lentement, elle s'éveillait.

— Quoi ? soupira-t-elle.

— Ariane, souffla Élise, lève-toi.

Encore plongée dans un demi-sommeil, Ariane murmura :

— Je suis fatiguée.

Et, refermant les yeux, elle reposa la tête sur le carrelage. Élise la regarda avec un triste sourire. Ainsi endormie, paisible, Ariane lui rappelait la petite fille qui, six ans plus tôt, était arrivée dans la boutique de Blanchette. Élise, qui n'avait pourtant que dix ans à l'époque, se souvenait parfaitement de l'impression de fragilité que lui avait laissée cette fillette de huit ans, si seule, si faible, si perdue... En quelques heures, elles étaient devenues amies, et, pendant six ans, elles ne s'étaient pas quittées d'une semelle.

— Ariane, répéta-t-elle à mi-voix.

Une seconde fois, Ariane cligna des yeux. Un instant, elle regarda Élise, et murmura, la voix pleine encore de sommeil :

— Je crois que j'ai rêvé d'une robe. Une robe d'Égyptienne. Pour la Cour.

Tout en aidant sa cousine à se relever et à monter les escaliers, Élise songea avec un pincement au cœur que les propos ensommeillés d'Ariane n'étaient que le vague écho de leur complicité à jamais disparue. Lorsqu'elles furent à l'étage, doucement, elle l'installa dans leur lit. Ariane laissa échapper un petit soupir, et se rendormit presque aussitôt. Pendant de longues secondes, Élise la regarda, avec le sentiment déchirant d'avoir à jamais perdu une sœur. Puis, lentement, elle se mit à son tour au lit. Lorsque la première larme tomba sur l'oreiller, elle ne la retint pas ; elle s'endormit en pleurant.

En s'éveillant, le lendemain, Élise constata avec stupeur que le soleil était levé : Blanchette n'avait pas l'habitude de les laisser dormir si tard. Elle tapota doucement l'épaule d'Ariane ; celle-ci s'éveilla à son tour, le sourire aux lèvres. Rapidement – et toujours sans un mot – les deux cousines s'habillèrent. Elles avaient besoin l'une de l'autre pour enfiler leurs vêtements, mais, comme le reste, cette routine matinale était devenue étrangement silencieuse.

Elles descendirent jusqu'à la boutique. Blanchette s'y trouvait, en compagnie d'une cliente. Intriguée, Élise remarqua la chevelure rousse qui tombait dans le dos de l'inconnue. Elle ne faisait pas partie des habituées. Élise s'approcha discrètement du comptoir, tandis qu'Ariane demeurait en retrait. Elle entendit la femme expliquer :

— … Pour un ballet de Cour, un costume original, inventif, quelque chose de joyeux, je ne sais pas trop comment m'expliquer…

« Voilà qui promet d'être intéressant », songea Élise. On leur avait déjà commandé des costumes « de Cour », des tenues « de deuil », des vêtements « de travail », mais un habit « joyeux », c'était bien la première fois. Elle tendit l'oreille. L'inconnue donnait des précisions :

— … un costume d'Égyptienne, pour un ballet, qui sera joué à la Cour.

Elle entendit sa mère qui répondait :

— Je suis vraiment navrée, mais nous ne pouvons hélas rien pour vous.

— Je vous en prie ! Il me faut absolument une robe ! Nous jouons devant le roi dans une semaine !

— Nous sommes nous-mêmes débordées, rétorqua Blanchette.

Élise regarda sa mère avec stupeur, à peine sûre d'avoir bien entendu. Elles avaient du travail, certes, mais pas au point de refuser une robe destinée à un ballet royal. Une robe que toute la Cour verrait !

— Vraiment, Mademoiselle Béjart, insista Blanchette, c'est impossible.

Béjart ! Élise, stupéfaite, contourna le comptoir pour dévisager l'inconnue. Madeleine Béjart ! La comédienne ! Celle qui, pendant des années, avait été la maîtresse, la muse de Molière, qui l'avait suivi dans toutes ses aventures, sur les routes de France… Son visage avait quelque chose de très doux et d'un peu fatigué ; avec un sourire amer, elle souffla :

— C'est Molière, n'est-ce pas ? Vous refusez de travailler pour lui ? Vous avez peur d'être mêlée à un scandale ? D'être attaquée par l'Église ? D'être critiquée par les dévots, par ces fanatiques pour qui il n'existe rien d'autre que la religion ? Tous les tailleurs me répondent la même chose ; personne n'accepte de travailler pour Molière !

Blanchette s'empressa de nier, d'inventer des commandes de baronnes, de comtesses, de duchesses et même d'archiduchesses pour justifier son refus ; mais ni Élise ni Madeleine ne furent dupes. Blanchette ne voulait pas aider la troupe de Molière, car elle craignait pour la réputation de sa boutique.

— Je pourrais peut-être faire la robe, suggéra prudemment Ariane.

Élise, Madeleine et Blanchette se retournèrent d'un même mouvement pour dévisager la jeune couturière qui avait osé contredire sa patronne. Elle se tenait debout, dans l'encadrement de la porte, et n'avait pas perdu un mot de la conversation. Madeleine la salua d'un sourire ; Blanchette, elle, la foudroya du regard :

— Ariane, ne t'en mêle pas !

Le ton était plein de rage. « Si Ariane ne fait pas attention, elle va finir par se faire renvoyer », réalisa Élise avec effroi. Mais Madeleine, reprenant la parole, détourna la colère de leur patronne :

— Ce serait très simple, insista-t-elle. Un costume d'Égyptienne, pour un ballet de cour, dans lequel le roi lui-même dansera ! Le roi, qui, lui, apprécie Molière ! Et qui, pas plus tard qu'hier, a accepté d'être le parrain de son fils !

Mais elle eut beau faire, argumenter, rappeler la faveur de Molière, le succès de ses pièces, le public qui ne manquait jamais d'admirer les costumes, rien n'y fit : Blanchette la congédia sans ménagement. Élise, un peu déçue, la regarda sortir. De toute évidence, Ariane mourait d'envie de réaliser cette robe, et d'avoir enfin l'occasion de fréquenter la Cour.

Madeleine Béjart avait à peine passé la porte que Blanchette se retournait, fulminante, vers sa nièce :

— Comment as-tu osé ? s'insurgea-t-elle. Comment as-tu osé me contredire devant elle ?

— Je pensais qu'une comédienne pourrait nous faire connaître, tenta de se défendre Ariane.

— Mais elle ruinerait notre réputation ! s'offusqua leur patronne. As-tu pensé à Élise ? Crois-tu que Mademoiselle de La Vallière apprécierait de voir la boutique de sa couturière au service d'une… d'une comédienne ?

Blême de rage, Ariane ouvrit la bouche. Élise, sentant que la situation était sur le point de dégénérer, s'empressa d'intervenir :

— Pour un costume, on pourrait peut-être…

Elle n'eut pas le loisir d'achever sa phrase. Blanchette lui adressa un regard meurtrier, tellement méchant que, spontanément, elle recula. Puis, sans desserrer les lèvres, sa mère siffla :

— Ariane – dans l'atelier – tout de suite.

Les deux cousines échangèrent un regard paniqué, et, pour la première fois en trois mois, presque complice. « Surtout, surtout, ne pas la contrarier davantage », songea Élise. Et, comme si elle l'avait entendue, Ariane tourna les talons, et sortit de la boutique.

Élise se dirigea vers l'atelier. Dieu merci, Blanchette s'était rendue chez une cliente ! C'était le moment où jamais de quitter la boutique, et de voir comment Ariane avait pris les rebuffades du matin. Pourvu qu'elle ne soit pas trop fâchée !

En entrant dans la pièce, Élise fut surprise par un mouvement brusque d'Ariane. On aurait dit qu'elle venait de jeter à ses pieds la robe sur laquelle elle travaillait. Intriguée, Élise s'approcha. À côté de l'établi reposait ce qui ressemblait à une robe de satin multicolore. Elle se pencha et la souleva.

— C'est vraiment beau, dit-elle.

La robe était originale, fantaisiste, colorée. Elle était cousue d'une multitude de pièces de satin dépareillées. À quelle cliente pouvait-elle bien être destinée ? Curieuse, Élise observa le tissu de plus près :

— Je l'aime vraiment. Ça a quelque chose de, comment dire ? Joyeux et...

Elle s'arrêta au milieu de sa phrase. « Joyeux », c'était exactement le terme qu'avait employé Madeleine Béjart. Joyeux... Paniquée, elle demanda :

— C'est le costume de Madeleine Béjart ?

Ariane resta muette. Un coup d'œil suffit à Élise pour comprendre que c'était bien là, en effet, le costume d'Égyptienne. Déjà, on devinait les couleurs bigarrées qui suggéraient le caractère oriental du personnage ; les tissus volants, vaporeux, qui en faisaient une magicienne, un être mystérieux.

— Mais maman t'a défendu de…

Élise n'acheva pas, et Ariane ne répondit rien. Comment aurait-elle pu se défendre ? Elle avait désobéi à un ordre de Blanchette.

— Je l'ai faite avec des chutes, expliqua Ariane. J'espérais que personne ne le remarquerait.

D'un geste las, elle déposa l'aiguille qu'elle avait à la main, et s'éloigna de l'établi :

— Je vais chercher mes affaires, dit-elle en se dirigeant vers l'escalier.

— Ariane ! cria Élise, en l'attrapant par le bras.

— Je n'ai plus ma place ici, je sais !

Que voulait-elle dire ? Était-elle devenue folle ?

— Tu ne peux pas partir, voyons !

— Ne te fatigue pas, répondit Ariane. Il y a des mois que tu n'attends que ça.

Un demi-sourire hésitant se forma sur les lèvres d'Élise. Ariane, sans doute, était en train de plaisanter. Elle savait parfaitement qu'Élise n'attendait qu'une chose : une réconciliation. Mais la jeune fille poursuivit d'un ton amer :

— Plus de cousine gênante, hein ! L'atelier à toi seule ! Toutes les clientes !

— Arrête ! Je ne supporterais pas cet atelier sans toi !

Ariane s'arrêta un instant de crier, comme étonnée. Le regard qu'elle posa sur Élise semblait dire : « est-ce vrai ? est-elle sincère ? » Mais, bien vite, la colère reprit le dessus :

— C'est sûr qu'une servante, c'est commode !

— Comment peux-tu dire ça ? Ariane, je croyais que tu étais mon amie !

Élise sentit monter les larmes. N'y avait-il plus, entre elles, que de la haine ?

— C'est amusant, répliqua Ariane, je pensais la même chose, jusqu'au jour où tu m'as volé la robe de soie grise de Louise de La Vallière !

Élise pâlit brusquement. Un silence pesant s'abattit. Puis, résolument, Ariane commença à monter l'escalier.

— Que se passe-t-il, ici ? gronda Blanchette en entrant en coup de vent dans l'atelier.

Ariane regarda sa tante, stoïque, avec une forme de bravade. Élise sentait venir le danger : sa cousine avait toujours été têtue, téméraire, frisant parfois l'insolence. Détournant la tête, Ariane promena ses yeux sur l'atelier, comme pour emporter une dernière image de l'établi de bois sur lequel tant de fois, elle s'était penchée ; des murs couverts de robes qu'elle avait aidé à coudre. Élise frissonna : ce regard, c'était un regard d'adieu.

Blanchette les dévisagea d'un air sévère :

— Que signifie ce boucan ?

Le cœur battant, Élise observa discrètement Ariane, priant pour qu'elle ne provoque pas Blanchette, qu'elle ne révèle pas la vraie raison de leur querelle. Puis, retenant son souffle, elle sourit à sa mère, et répondit tranquillement :

— Rien, maman. Nous travaillons.

Blanchette toisa sa fille, visiblement suspicieuse ; mais, à cet instant, la porte de la boutique s'ouvrit.

— Eh bien, travaillez, rétorqua-t-elle d'un ton sec, en s'éloignant.

Le soulagement envahit Élise. Ainsi, Ariane n'allait pas être renvoyée ; elle ne serait pas à la rue. Pourtant, à sa mine joyeuse, Ariane ne répondit que par un froncement de sourcil, comme pour dire : « Ne crois pas que je t'ai pardonné. »

Qu'importe, après tout, songea Élise. Aujourd'hui, pour la première fois en trois mois, elles s'étaient parlé !

4

Le pourpoint noir

« C'est là », songea Ariane, en traversant la place du Palais-Royal, avant de déboucher dans la cour Orry. À droite, derrière la porte du palais, se tenait le théâtre de Molière. Le Palais-Royal, demeure de Monsieur, frère du roi, avait quelque chose d'effrayant, ainsi baigné dans la lumière de l'aube. Sans réfléchir, Ariane se dissimula dans le fond de la cour.

Sa résolution, soudain, vacillait ; elle hésitait à entrer. Elle ne se trouvait qu'à quelques centaines de mètres de chez Blanchette, mais ces portes dissimulaient un autre monde. Ce n'était pas l'idée de désobéir à sa tante qui la tétanisait, ni même la crainte d'être découverte. Non, c'était l'angoisse de l'inconnu qui l'avait soudain saisie, la peur de ce monde mystérieux et scandaleux qu'était le théâtre.

Longtemps, elle hésita. Cachée dans sa chambre, à la lueur d'une chandelle, elle avait travaillé toute la nuit sur la robe d'Égyptienne ; l'épuisement l'empêchait de réfléchir clairement. Une demi-heure passa, une heure peut-être ; derrière les façades, le soleil se levait lentement. Une pluie fine commença à tomber sur la cour. Il était temps de se décider.

Soudain, des bruits de pas retentirent à sa droite. Immédiatement, Ariane fut sur le qui-vive : était-ce Madeleine qui arrivait au théâtre ? Une voix s'éleva dans la cour :

— Un sol les petits pains chauds !

Ce n'était qu'un gamin. Il tenait devant lui un plateau en osier, sur lequel étaient disposés des petits pains bien appétissants. « Dommage, je n'ai pas d'argent », songea-t-elle.

Un noble traversa la cour ; il s'approcha du garçonnet auquel il prit un morceau de pain. De loin, Ariane eut l'impression que le ton commençait à monter. Elle entendit, par bribes, l'enfant protester :

— … pouvez pas… il faut payer…

Le noble, qui avait commencé à s'éloigner, se retourna, et répliqua quelque chose qu'Ariane ne perçut pas. Puis, tout à coup, il attrapa le garçonnet par le col, et le gifla si violemment que celui-ci chancela, et que tous les petits pains tombèrent au sol.

Cette fois, c'en était trop. Ariane se précipita en s'exclamant :

— Arrêtez !

Sa voix avait retenti étrangement ; elle aurait juré avoir entendu comme un écho, venu de la place. Levant la tête, elle comprit ce qui avait causé cette impression : face à elle, un jeune homme accourait lui aussi au secours du petit vendeur. C'était un noble, il devait avoir une quinzaine d'années. Lui aussi, il avait hurlé « arrêtez », et leurs voix s'étaient mêlées pour ne former qu'un cri.

Ariane, la première, parvint aux côtés du garçonnet ; elle posa sur son épaule une main rassurante. Le jeune noble qui avait crié s'approchait à grands pas ; il était vêtu de noir, et sa longue silhouette sombre se découpait dans le contre-jour.

L'agresseur du gamin avait déjà une main sur le pommeau de son épée ; et, dès que le jeune homme en noir se trouva auprès d'eux, il dégaina. Ariane tressaillit : un duel ! Elle allait assister à un duel ! Quelle aventure !

Prudemment, elle fit un pas en arrière, et se pencha pour aider le garçon à ramasser ses petits pains.

Mais, à sa grande surprise, le nouveau venu ne dégaina pas. Il se contenta de toiser son agresseur, placidement. Déconcerté, l'autre fit quelques mouvements d'épée dans le vide.

— Alors ? finit-il par grogner.

— Je ne me bats pas, répondit le jeune homme, à la grande consternation d'Ariane.

« Comment ça, il ne se bat pas ? songea-t-elle, outrée. Ce n'est pas un vrai noble ! »

Même si les duels étaient interdits par le roi, c'était une question d'honneur, et nul ne pouvait refuser de se battre sans perdre la face. L'autre semblait penser de même, puisqu'il laissa échapper un « quoi ? » incrédule et choqué.

— Les duels sont stupides et inutiles, expliqua patiemment le jeune noble, donnant l'impression de s'adresser à un simple d'esprit.

Ariane, interloquée, observa l'étrange jeune homme en noir, qui ne baissait pas les yeux. Au contraire : il avait l'air sûr de lui et toisait son adversaire avec un mélange de morgue et de mépris. Il était très grand, brun ; les traits de son visage étaient tout à la fois sévères, anguleux, et très fins, excessivement séduisants. Ses lèvres formaient une ligne mince et déterminée, et Ariane se demanda soudain à quoi il ressemblerait s'il se mettait à sourire. Ses yeux bleu clair avaient quelque chose de flou, de mystérieux et d'insolent à la fois ; subjuguée, la jeune fille contemplait son visage, qui semblait imprégné de lumière.

Pendant de longues secondes, les deux hommes se firent face sans un mot. Ariane, persuadée que le jeune homme allait se faire embrocher, se glissa devant le gamin, en signe de protection. Pourtant, à sa grande surprise, ce fut l'agresseur du petit vendeur qui, le premier, baissa les yeux. Tournant les talons, il s'en retourna vers la place du Palais-Royal.

Le jeune noble laissa flotter sur ses lèvres un sourire où se mêlaient la satisfaction et l'arrogance ; puis il plongea la main dans sa poche, et en sortit quelques pièces qu'il tendit au gamin avec simplicité.

Tandis que le petit vendeur balbutiait sa gratitude, Ariane, fascinée par ce noble si peu commun et si sûr de lui, ne put s'empêcher de le dévisager une fois de plus. Elle détailla sa tenue, étrangement sobre. Il portait un pourpoint des plus simples, noir, avec un de ces cols bas que l'on appelait *petit collet.* Pour un aristocrate, il était vêtu de façon extrêmement modeste.

Puis le gamin détala sans demander son reste, et Ariane se trouva seule face au jeune noble, face à ces yeux azur, sous la pluie glaciale.

— Merci... merci beaucoup..., bafouilla-t-elle.

Il ne répondit pas immédiatement ; silencieux, il fixait sur elle son regard plein de lumière. La pluie battait le pavé sans relâche. Ariane détourna les yeux ; elle contemplait la porte du théâtre, qui, noyée par les trombes d'eau, paraissait de plus en plus lointaine et de plus en plus floue.

Un « ce n'est rien », un « je n'ai fait que mon devoir » auraient suffi à prendre congé, mais il demeurait muet. Ses yeux clairs, indéchiffrables, ne la lâchaient pas. Finalement, il déclara :

— Je suis le comte de Vilez.

Un comte ! Ariane n'en croyait pas ses oreilles. À voir sa tenue si sobre, elle avait imaginé qu'il n'était rien de plus que le cadet d'une famille de petite noblesse désargentée... Plus intimidée que jamais, elle murmura, d'une voix qu'elle peinait à rendre audible :

— Je suis Ariane... je suis couturière.

À cause de l'averse, elle ne distinguait plus que vaguement les bâtiments qui les entouraient. Il lui semblait que des silhouettes aux contours indéfinis passaient non loin d'eux ; peut-être étaient-ce les comédiens de Molière... Seul le visage du comte se détachait clairement. Pourquoi restait-il là, sous une pluie battante, avec une domestique qu'il ne connaissait même pas ? Pourquoi ne lui faisait-il pas signe de partir, pourquoi ne s'en allait-il pas ?

— C'était généreux de votre part, ajouta-t-elle.

« Suis-je censée dire autre chose ? Quand même, songea-t-elle, encore un peu dépitée, il n'a rien fait que je n'aurais pu faire ; ce n'est pas comme s'il s'était *battu.* » À cet instant, le comte laissa échapper un sourire ironique, et murmura à son tour, comme s'il avait deviné ce que pensait la jeune fille :

— Au fond, je n'ai rien fait.

En le voyant sourire, Ariane eut un instant le souffle coupé. Elle en venait presque, elle aussi, à oublier la pluie toujours plus froide qui s'insinuait à l'intérieur de ses vêtements, tant elle était fascinée par ce jeune noble, par le regard impénétrable qu'il posait sur elle.

Il s'approcha très légèrement d'elle et ajouta, plus bas encore :

— Adieu.

Il était si proche qu'elle en était paralysée ; elle sentait son souffle contre son visage. Et malgré son « adieu », le jeune homme, lui non plus, ne bougeait pas ; il demeurait face à elle, scrutant son visage de ce regard clair.

— Adieu, répondit finalement Ariane.

Il y eut un long silence, troublé seulement par le bruit de l'eau sur les pavés. Et, brusquement, sans prévenir, le comte tourna les talons et s'éloigna, presque en courant. Ariane fut soudain traversée d'une étrange pensée :

— On dirait qu'il fuit, murmura-t-elle, incrédule.

L'averse s'était calmée. La place, à quelques mètres de là, se faisait de plus en plus agitée, de plus en plus vivante. Ariane percevait à présent le galop des cavaliers et le crissement des roues sur le pavé. Les cris des vendeurs de rue parvinrent jusqu'à ses oreilles :

— Achetez l'ail, criait l'un, croquez l'ail !

— Porteur d'eau ! annonçait un autre.

— Voilà des cartons, mesdames !

Plusieurs nobles traversèrent la cour. À leur suite marchaient de petits décrotteurs, qui, brosses à la main, espéraient obtenir quelques sous en nettoyant chaussures et bas maculés par la pluie. Malgré elle, Ariane ne cessait de penser à sa rencontre avec le comte de Vilez. Elle revoyait son arrivée, la façon dont il avait tenu tête à cet autre noble…

Un homme entra dans le théâtre, puis deux jeunes femmes, jolies et joyeuses, passèrent devant Ariane. « Allons, c'est maintenant ou jamais, songea-t-elle. Je dois y aller. » Mais elle ne parvenait pas à s'y résoudre. Pousser la porte du théâtre lui semblait être un acte de pure audace. Indécise, elle promenait son regard sur le palais et sur la place.

Mieux valait, peut-être, retourner chez Blanchette, et laisser Madeleine et Molière au monde merveilleux et magique auquel ils appartenaient.

Soudain, elle retint son souffle : Madeleine Béjart traversait la cour.

5

Le costume d'Égyptienne de Madeleine Béjart

Pendant les quelques secondes qu'il fallut à Madeleine pour marcher jusqu'à la porte, Ariane fut envahie par l'hésitation. Inconsciemment, elle sentait que choisir de traverser la cour, choisir d'aborder Madeleine, ce n'était pas seulement l'affaire d'une robe d'Égyptienne. Aller vers Madeleine, c'était se ranger du côté de Molière dans cette bataille et dans les batailles à venir. C'était défier tous ceux qui accusaient cette troupe des pires outrages. Peu importait qu'elle ne fût qu'une couturière ; elle aussi, probablement, aurait à subir les foudres des dévots, et de tous ceux qui haïssaient le comédien.

Il était encore temps de faire demi-tour, d'écouter les avertissements de Blanchette et les conseils soucieux d'Élise… Elle revoyait les regards anxieux que sa cousine lui avaient jetés, en la regardant coudre ; elle avait l'air de s'inquiéter, sincèrement, à l'idée qu'Ariane se fasse renvoyer.

Et puis, Ariane revit le visage passionné de Madeleine, lorsqu'elle avait plaidé la cause de Molière, et elle se décida. Molière, qui incarnait la joie et le rire dans le royaume de France, méritait qu'on le défendît.

— Mademoiselle Béjart ! cria Ariane.

Madeleine se retourna. Reconnaissant la jeune couturière, elle sourit d'un air intrigué. D'un geste nerveux, Ariane lui tendit le paquet, en précisant :

— La robe d'Égyptienne.

Elle hésita, ne sachant trop comment expliquer ce revirement : Blanchette n'avait-elle pas, la veille, catégoriquement refusé la commande ? Finalement, elle ajouta simplement :

— J'espère qu'elle vous conviendra.

Elle esquissa une brève révérence, et s'éloigna.

— Ariane ! cria à son tour Madeleine.

— Vous connaissez mon nom ? s'étonna-t-elle.

— Bien entendu, je m'en souviens !

Avec précaution, Madeleine commençait à ouvrir le paquet. Lentement, la jupe de satin multicolore et le corset aux reflets dorés se déplièrent. Madeleine soupira.

— Si elle ne vous plaît pas…, commença l'apprentie, mortifiée.

Madeleine rit doucement, comme si Ariane venait de dire quelque chose de particulièrement ridicule.

— Elle est parfaite. Je suis tellement soulagée…

Madeleine n'ajouta rien ; elle contemplait le tissu. Du bout des doigts, elle effleura la longue mante, cette sorte de cape typique des bohémiennes. Avec son étoffe légère, la robe allait être tellement agréable à porter ! Tellement pratique pour danser ! Puis elle considéra Ariane en souriant. C'était indéniable, la jeune fille avait du talent. Elle ferait certainement, un jour, une grande couturière.

— Je passerai dans l'après-midi payer ta patronne, conclut la comédienne.

Ariane la regarda avec horreur :

— Surtout pas ! J'ai confectionné la robe en cachette. Blanchette ne sait pas… Ne doit pas savoir.

« Remarquable jeune fille, décidément », songea Madeleine. De la résolution, de la décision, du courage…

— Je ne veux pas être payée. La robe est faite avec des chutes, personne ne s'en apercevra.

Madeleine soupira. Soudain, elle ne souhaitait plus lâcher Ariane. Cette petite personne décidée l'intriguait au plus haut point.

— Entre dans le théâtre, au moins, une minute, proposa-t-elle.

Ariane savait qu'elle devait refuser. Le jour était levé, à présent ; Blanchette allait s'apercevoir de sa disparition. Avec regret, elle contempla la porte close du théâtre. C'était peut-être mieux, au fond, si elle laissait Molière à son mystère, si…

— Une minute, seulement, lâcha-t-elle.

Elle avait répondu presque malgré elle : elle avait beau savoir que c'était une erreur, la curiosité avait été la plus forte. En souriant, Madeleine poussa la porte.

Furieuse, Blanchette pénétra dans l'atelier. Il lui suffit d'un regard pour constater qu'Ariane ne s'y trouvait pas. Une bouffée de rage l'envahit ; cette paresseuse était sûrement encore en train de dormir. Et dire que le jour était levé depuis une heure !

— Élise !

Sa fille, assise dans un coin de l'atelier, sursauta et leva vers elle des yeux bouffis de sommeil. Elle semblait n'avoir pas dormi de la nuit !

— Quoi ?

— Où est Ariane ?

C'était incroyable, à la fin ! Pour qui se prenait cette péronnelle ?

— Elle est sortie livrer une robe, expliqua Élise. Elle revient bientôt.

Une robe ? Blanchette fronça les sourcils. Elle était bien placée pour savoir que l'atelier manquait cruellement de commandes, ces temps-ci. C'était bien simple : à part Madeleine Béjart, elles n'avaient pas vu passer de nouvelle cliente depuis plus d'une semaine.

Madeleine Béjart… Soudain, un doute affreux s'empara de Blanchette. Et si… ? Non, Ariane n'aurait pas osé !

— Quelle robe ? demanda-t-elle d'un ton brutal.

— Pour une cliente, euh, des retouches, très simples, pour…

Élise mentait, réalisa Blanchette. Elle faisait de son mieux, mais le rouge qui avait envahi ses joues la trahissait. Ariane n'était pas allée livrer une robe. Elle en était convaincue : Ariane était allée retrouver Madeleine Béjart.

Blême de rage, Blanchette foudroya sa fille du regard. Puis elle tourna les talons. Si vraiment Ariane s'était rendue chez Molière, elle allait le regretter.

Ariane fut immédiatement frappée par la taille du théâtre, une pièce rectangulaire qui devait bien mesurer quarante mètres ; à droite, à gauche, des galeries en bois recouvraient les murs ; tout au fond trônait la scène, encadrée par une bordure imposante. Debout sur cette scène, un homme faisait les cent pas, songeur ; et Ariane n'eut pas besoin du « c'est lui » de Madeleine pour comprendre qu'elle se trouvait face à Molière.

Molière ! Intimidée, elle se mit à trembler. Ainsi, c'était là l'acteur dont parlait tout Paris, celui qui ne reculait devant aucun scandale, devant aucune provocation. Et la jeune fille, qui s'était toujours demandé *pourquoi* Molière fascinait tant – il n'était, après tout, qu'un comédien – eut soudain l'impression de comprendre. C'était ces yeux noisette, pétillants d'intelligence et de malice. Cette démarche souple et sportive. Ce rayonnement, ce charisme qui émanaient de lui quand il déambulait avec une incroyable aisance sur les planches.

— Ariane, ma nouvelle couturière, la présenta Madeleine.

À ces mots, Ariane tressaillit de plaisir. Était-elle vraiment devenue la couturière de Madeleine ? Elle savait bien, pourtant, que jamais elle ne pourrait lui confectionner d'autres robes ; que Blanchette le lui défendait... Mais être appelée « ma » couturière par Madeleine Béjart la rendait étrangement euphorique. Pour la première fois, elle n'était plus seulement la petite apprentie de sa tante.

— Allez, au travail, tout le monde ! lança Molière. Il faut répéter *Le Mariage forcé*. N'oubliez pas que nous dansons devant le roi dans quelques jours !

Le Mariage forcé... c'était probablement le ballet pour lequel Ariane avait eu à faire la robe d'Égyptienne. Et dire que dans quelques jours, ce costume se trouverait devant le roi ! La jeune fille avait l'impression de rêver.

— Il faut que le ballet soit parfait et qu'il plaise au roi : lui seul peut nous protéger de tous ceux qui nous attaquent. Marquise, scène quatre !

Marquise, une jolie comédienne d'une trentaine d'années, monta quatre à quatre les marches qui menaient à la scène, d'un mouvement à la fois agile et gracieux.

— De quoi parle la pièce ? chuchota Ariane à Madeleine.

— C'est l'histoire d'un vieil homme riche qui épouse une jeune fille pauvre. Molière joue l'époux, Marquise l'épouse, et là, ils discutent du mariage qui approche.

Molière, qui avait commencé à jouer, lançait justement d'un ton grivois :

— *... Vous allez être à moi depuis la tête jusqu'aux pieds, et je serai maître de tout : de vos lèvres appétissantes, de vos petits tétons rondelets, de votre...*

Il esquissa quelques gestes un peu obscènes, comme s'il allait se jeter sur Marquise et la déshabiller à l'instant. Ariane et les comédiens éclatèrent de rire. Nul n'égalait Molière quand il s'agissait de tourner en ridicule les hommes qui considéraient les femmes comme des objets !

Puis ce fut au tour de Marquise, qui jouait la future épouse, de parler :

— *Tout à fait...*

— Mais non !

Elle avait à peine prononcé trois mots que Molière protestait.

— *Tout à fait*, reprit-il, d'un ton légèrement malicieux. Tu vois ? Dorimène est une fine mouche, une coquette ; elle doit prendre le dessus.

— *Tout à fait aise, je vous jure*, essaya-t-elle encore.

— Plus décidée, plus façonnière…

Il semblait avoir une idée très précise de la façon dont il convenait de jouer. Et, lorsque Marquise répéta enfin toute la tirade, Ariane fut ébahie : les mots coulaient si naturellement qu'on eût jamais dit qu'ils avaient demandé autant de travail !

La jeune fille se laissa captiver par la scène. Le personnage de Marquise annonçait avec fracas qu'elle avait l'intention d'être une femme mariée… et de rester libre ! Face à l'expression d'horreur qui se peignit sur le visage de Molière, l'assemblée éclata de rire une fois de plus. Le spectacle promettait d'être un succès ; la troupe assistait joyeusement à la répétition, quand, soudain, une voix furieuse retentit dans leur dos :

— Ariane !

Tout le monde se retourna vers la porte, vers la femme qui avait crié ainsi. La jeune couturière, elle, n'eut pas besoin de regarder : la voix rageuse, méchante, outrée de Blanchette ne pouvait se confondre avec aucune autre.

Un sentiment d'horreur l'envahit. Blanchette ! C'était sûr, cette fois, elle allait la renvoyer…

Et, comme de juste, sa tante commençait à vociférer :

— Jamais je ne t'aurais crue aussi ingrate ! Je t'ai nourrie, logée, appris un métier, et voilà comment tu me remercies : en me désobéissant. Tu frayes avec ces… ces…

Dans sa rage, elle ne trouvait pas de mots assez durs pour qualifier la troupe de Molière.

— Madame, voyons, intervint Madeleine. Ariane n'a commis aucune faute.

Mais rien ne pouvait arrêter le torrent d'insultes et de reproches qui sortait de la bouche de Blanchette :

— Tu es renvoyée ! Crois-moi, je vais écrire à tes parents ! Et tu peux être sûre que jamais aucun tailleur, aucune couturière ne t'engagera !

Polie quoiqu'un peu indignée, Madeleine commença à protester. Elle défendait Ariane. Blanchette ne voyait-elle pas à quel point la jeune fille était talentueuse ? Ne savait-elle pas qu'insulter Molière, c'était insulter le roi, son protecteur ? Mais Blanchette tempêtait toujours ; et la voix de Madeleine se faisait de plus en plus courroucée, et de plus en plus véhémente.

Ariane n'était qu'à peine réconfortée par le soutien de la comédienne. Qu'allait-elle devenir ? Elle sentit les larmes couler le long de sa joue, et elle eut honte : pleurer devant Molière !

— Ariane se moque bien de vous ! se récriait justement Madeleine. Elle a déjà ses clients. Elle est *ma* couturière, et j'entends lui passer des *dizaines* de commandes !

Un instant, la résolution de Blanchette eut l'air de vaciller. S'il y avait bien une chose qui pouvait faire changer son opinion sur Molière, c'était l'appât du gain. Pendant quelques secondes, elle sembla peser le pour et le contre, les clients qu'elle pouvait gagner et ceux qu'elle pouvait perdre, puis se décida :

— Je me moque de votre argent ! Je ne vois pas ce que vous comptez faire d'une couturière sans atelier ni matériel, d'une fille qui est à la rue ! De toute façon, jamais les tailleurs ne l'autoriseront à exercer.

Ariane, frappée de plein fouet par ces vérités, ne fit pas attention à la porte qui, une nouvelle fois, s'ouvrait, ni à la silhouette qui se faufilait à l'intérieur. Atterrée, elle considérait son avenir. Blanchette avait raison : sans son atelier, son matériel, sa protection, elle ne pourrait jamais devenir couturière. Coudre, la seule chose qu'elle avait jamais aimé, pour laquelle elle avait jamais été douée, lui serait désormais impossible. Au mieux, elle repriserait des chemises dans le village de ses parents… Cette perspective la rendait profondément malheureuse. Comment allait-elle vivre, si elle ne pouvait plus passer ses jours à imaginer des robes, à couper des tissus, à coudre des pans d'étoffe, à orner des vêtements ?

— Ne la renvoie pas !

Une seconde fois, toute la troupe se retourna. Sidérées, Ariane et Blanchette considérèrent la jeune fille qui venait d'entrer dans le théâtre, celle qui avait crié.

C'était Élise, qui, debout dans l'encadrement de la porte, jetait sur sa mère un regard de défi.

— Élise ! s'exclama Blanchette, offusquée. Tais-toi !

— Non ! Je ne te laisserai pas faire !

Élise toisait sa mère, espérant qu'elle lirait dans ses yeux la détermination et la colère qui l'habitaient. Blanchette n'avait pas le droit de renvoyer ainsi Ariane. Elle ne le permettrait pas.

— Si Ariane s'en va, affirma-t-elle encore d'un ton sans réplique, je pars aussi. Et je ne sais pas ce que tu feras d'un atelier vide !

Élise tremblait. Et si Blanchette la prenait au mot ? Et si elle la mettait à la rue ? Elle n'avait jamais contredit sa mère, elle ne l'avait jamais défiée, et le regard noir que lui jetait à présent celle-ci la rendait misérable. C'était certain, elle se vengerait de cet affront.

« Je ne devrais pas..., se dit soudain Élise, que la panique gagnait. J'ai tort d'être impertinente avec Maman. » Après tout, c'était Blanchette qui dirigeait la boutique. Elle était toute-puissante, et sa fille ne pouvait se permettre de la menacer. Peut-être en la suppliant ? Peut-être, alors, accepterait-elle de donner une nouvelle chance à Ariane ?

Mais au fond, Élise savait que c'était peu probable. Sa cousine avait dépassé les bornes ; il n'y avait plus rien à faire. Tristement, elle jeta un regard d'adieu à Ariane, qui se tenait droite dans le fond du théâtre.

Et, soudain, Élise eut l'impression de revivre un moment qu'elle avait déjà vécu. Ariane, rigide, la suppliant du regard, avec cette étincelle amère à l'œil. C'était Versailles, une nouvelle fois. Une nouvelle fois, elle allait trahir sa cousine.

— Ne sois pas ridicule, Élise, lui dit sa mère. Ariane m'a trompée, m'a menti, m'a défiée, elle ne peut pas rester.

En un instant, Élise revécut la douleur de ces mois où Ariane ne lui parlait plus, les heures mornes dans l'atelier, la couture devenue un fardeau.

Et soudain, tout fut clair.

— Je me moque de ce qu'elle a fait, répondit-elle calmement. Si elle part, je pars.

C'était vrai. Si Ariane partait, elle partirait ; non pas pour protester, mais parce que sans sa cousine, sans sa meilleure amie, l'atelier n'avait plus d'intérêt. Blanchette avait pâli. Elle tempêta :

— Cette décision ne t'appartient pas !

Placide, Élise soutint le regard de sa mère. « Je ne céderai pas, songea-t-elle en sentant qu'un sourire de triomphe se dessinait sur ses lèvres. Cette fois, je ne céderai pas. »

6

Un lambeau de toile ensanglantée

Il semblait parfois à Ariane qu'elle passait ses journées à tourner autour du château du roi de France. Souvent, en allant livrer une robe ou un manteau, elle longeait les Tuileries, et admirait au passage les jardins du souverain. Parfois aussi, il lui arrivait de flâner sur les quais, devant les galeries du Louvre, en regardant les bateliers décharger leurs cargaisons de foin. Certains jours, en allant chez un fournisseur, elle se frayait un passage parmi les carrosses qui évoluaient entre l'église Saint-Germain et le garde-meuble de l'Hôtel du Petit Bourbon, où le roi entreposait ses possessions.

Mais aujourd'hui, pour la première fois, elle venait d'entrer *dans* le Louvre. Celui-ci n'avait ni le luxe ostentatoire ni les décorations flambant neuves du petit château de Versailles. Pourtant, il parut à Ariane plus impressionnant encore, lui dont les murs centenaires avaient vu passer les rois de France depuis le Moyen Âge.

Les appartements de la reine mère, Anne d'Autriche, s'étaient métamorphosés en ruche agitée et bruyante pour la création du *Mariage forcé.* Une scène improvisée avait été dressée ; autour d'elle, les musiciens de Lully, les danseurs de l'Académie Royale et les courtisans en costume se mêlaient aux comédiens de la troupe. L'agitation était à son comble.

Dans un coin, Ariane remarqua Mademoiselle Hilaire, la fameuse cantatrice, qui chantait pour s'échauffer la voix :

— *Si l'A-mour vous sou-met à ses lois in-hu-mai-nes...*

— Sol *bémol* ! l'interrompit Lully, le maître de musique de la famille royale, qui avait composé la partition.

Lully et Molière avaient travaillé ensemble pour créer cette pièce de théâtre mêlée de musique et de ballets.

— La-si-sol *bémol* ! insista-t-il. Reprenez !

Mais avant qu'elle n'ait pu recommencer, Lully, avisant La Grange, un des comédiens de Molière, l'interpella d'un ton furieux :

— Où est passé Molière ?

— Il n'est pas encore arrivé !

— … *ses lois in-hu-mai-nes*, avait repris la chanteuse, *choi-sis-sez en ai-mant un ob-jet*…

— Si bémol, la *dièse* ! Comment cela, pas encore arrivé ?

Scandalisé, le musicien laissa échapper une flopée d'injures contre Molière, contre sa chanteuse, contre le monde en général. Ariane, vaguement effrayée, passa son chemin et s'avança vers les coulisses de fortune. Elle serrait contre sa poitrine le costume d'Égyptienne de Madeleine Béjart.

— Ah, te voilà ! la salua la comédienne, une pointe de soulagement dans la voix. Jusqu'au dernier instant, j'ai craint que ta patronne ne change d'avis et ne t'empêche de venir.

— Je crois que Blanchette a fini par s'habituer à ce que je sois votre couturière, sourit Ariane. Élise l'a convaincue.

Puis, en tendant la robe à Madeleine, elle ajouta :

— Les retouches sont faites.

Tout en aidant la comédienne à passer le costume, Ariane, mentalement, remercia une fois de plus Élise. C'était à elle, et à elle seule, qu'elle devait de n'avoir pas été renvoyée. C'était elle, également, qui avait convaincu Blanchette de laisser sa nièce travailler pour la troupe de Molière.

Oh, la semaine écoulée n'avait pas été parfaite, loin de là : Blanchette ne manquait pas une occasion de lui glisser un regard noir, une remarque acide, ou de lui donner une corvée. Mais Ariane, au fond, s'en moquait : elle travaillait pour Molière, pour la Cour !

« Merci, Élise », pensa-t-elle très fort tout en attachant un ruban à la robe de Madeleine. Elles n'étaient pas vraiment réconciliées, mais, au moins, elles se parlaient. Et la jeune fille devait bien se l'avouer : elle avait presque pardonné à sa cousine.

Ariane promena son regard sur la foule qui s'agitait dans les appartements de la reine mère. Madeleine s'était éclipsée quelques instants, à la recherche de Molière, et la jeune fille était demeurée seule. Ravie, elle songeait à la tête qu'auraient faite ses parents s'ils avaient su qu'elle, fille de paysans, participait à une fête royale !

Soudain, Ariane aperçut Marquise Du Parc, la comédienne dont le prénom en forme de titre de noblesse l'intriguait au plus haut point. Elle était en compagnie d'une jeune femme qu'elle n'avait jamais vue. « Peut-être ont-elles besoin de moi ? », songea-t-elle. Après tout, elle faisait presque partie de la troupe, maintenant ; elle devait les aider.

Elle s'approcha des deux femmes qui, le dos tourné, discutaient à mi-voix.

— J'aurais tellement aimé danser aussi, soupirait l'inconnue.

— Ce ne serait pas raisonnable, Armande, ma chérie.

Armande ! Ariane avait sous les yeux l'épouse de Molière ! Deux ans plus tôt, leur mariage avait causé un véritable scandale : Armande, disait la rumeur, était l'enfant de Madeleine... voire, suggéraient certains, la propre fille de Molière ! Ariane aurait donné cher pour connaître la vérité.

— Tu viens à peine d'accoucher, insistait Marquise d'un ton doucereux.

Ariane aurait juré qu'au fond, elle était ravie d'avoir une rivale de moins sur scène. Car Marquise était ambitieuse. Elle voulait les grands rôles, ceux-là même que Molière – elle en était persuadée – réservait à Armande, sa femme, et à Madeleine et Catherine, ses anciennes maîtresses.

— J'aurais très bien pu jouer au moins une Égyptienne, protestait encore Armande. Je ne vois pas pourquoi Madeleine danse, et pas moi. À son âge !

— Elle commence à vieillir, approuva Marquise qui était très rarement à court de fiel. Et puis, je ne comprends pas pourquoi elle est allée chercher cette couturière inconnue, débutante, pour réaliser son costume. Elle va avoir l'air parfaitement ridicule !

— Certainement ! Cette petite Ariane a à peine quinze ans, renchérit Armande. Il est hors de question qu'elle me fasse mes robes, à moi !

Ariane, blessée, s'éloigna. Elle avait beau se dire qu'Armande n'en savait rien, qu'elle n'avait même pas vu la robe, un sentiment d'amertume l'avait envahie. Peut-être, en effet, était-elle trop jeune et parfaitement incompétente. Peut-être la robe d'Égyptienne serait-elle un échec cuisant.

— Il est introuvable !

Ariane se retourna. C'était Madeleine qui revenait, sans Molière. Elle avait dû finir d'ajuster sa robe elle-même, car, à présent, le costume d'Égyptienne était entièrement en place.

— Je suis comment ? demanda-t-elle.

Elle était superbe. Elle avait beau être « vieille », comme l'avait obligeamment observé Marquise, elle n'en conservait pas moins une beauté et un charme uniques. Ariane allait lui répondre quand Lully arriva en trombe.

— Mais où est ce Molière ? pestait-il.

— Je ne sais pas, répondit Madeleine.

De toute évidence, le musicien était à bout de nerfs. Il tempêtait, prenant Madeleine à partie et insultant Molière. Il faisait tant de tapage que les conversations, autour d'eux, se tarirent ; chacun tendait l'oreille pour saisir quelques bribes de la dispute.

Alerté par le raffut, Jean Racine, un jeune homme qu'on avait présenté à Ariane comme un poète débutant, un protégé de Molière, s'approcha pour le calmer :

— Je crois qu'il n'est pas encore arrivé, répondit-il d'un ton tranquille.

— Ce bouffon n'est pas fiable, je l'ai toujours dit ! exulta Lully. Ce n'est qu'un fêtard !

Plusieurs personnes se rassemblèrent autour du musicien, tentant, en vain, de l'apaiser.

— Allons, allons ! Il est sans doute en retard, dit Beauchamps, le maître de danse, qui à l'évidence essayait avant tout de se rassurer. Peut-être qu'il est un peu fatigué ?

Madeleine et Armande échangèrent un regard inquiet, sachant combien la chose était improbable. Même malade, même épuisé, Molière entrait toujours en scène ; pour rien au monde, il n'aurait privé les acteurs de leur salaire, et le public de son spectacle. Alors, faire faux bond au roi ! C'était tout simplement inconcevable.

L'heure du spectacle approchait… Ariane, comme les autres, scrutait la foule amassée dans les appartements de la reine, dans l'espoir d'y voir tout à coup surgir le comédien. Elle observa les danseurs qui se maquillaient, puis un groupe de courtisans qui discutaient. Elle remarqua, amusée, que plusieurs d'entre eux, qui allaient danser dans le spectacle, étaient déguisés en femmes. Soudain, son regard fut attiré par un vêtement noir, comme une tache sombre au milieu du luxe et de la profusion du palais. Intriguée, elle dévisagea le jeune homme qui le portait. Lorsque leurs yeux se croisèrent, elle sursauta : elle venait de reconnaître le comte de Vilez. Il se tenait debout, dans le fond de la salle, et il la fixait de son œil clair.

Tétanisée, Ariane retint son souffle ; comme elle, le jeune homme paraissait figé, et ne la quittait pas des yeux. Elle avait beau se sermonner, se dire que c'était un *comte* qu'elle dévisageait de manière si impertinente, elle ne pouvait empêcher son cœur de battre.

Les voix de Madeleine, d'Armande, de Lully et de Racine semblaient soudain étrangement lointaines. Elle n'entendit qu'à peine Madeleine qui disait :

— Il faudrait envoyer un messager chez lui, rue Saint-Thomas !

Puis Armande, prenant la parole, se tourna vers elle :

— Ariane, tu ne l'as pas vu, toi non plus ?

— Non, non, bien sûr, répondit distraitement la jeune fille, sans quitter le comte des yeux.

« Quand même, quelle idée, songeait-elle, de venir à une fête royale habillé en *noir* ! »

Absorbée par le comte qu'elle ne quittait pas du regard, Ariane eut vaguement conscience que le groupe qui l'entourait commençait à se disperser ; Madeleine allait chercher un serviteur, Lully partait pester contre quelqu'un d'autre.

Soudain, à sa grande surprise, une voix s'éleva à son côté :

— C'est le comte Antonin de Vilez.

Jean Racine, de toute évidence, l'observait depuis un moment. Il était à présent seul avec elle, et la considérait d'un air amusé. Il trouvait sans doute inconvenant qu'une couturière observât ainsi un comte ! Prise de court, Ariane rougit violemment.

— Il est très, très riche, précisa encore le jeune poète.

Jamais elle n'avait eu, ainsi, l'impression d'avoir cessé de penser. Il lui suffisait de regarder le comte – *Antonin* – pour que la réalité s'évaporât dans ses yeux bleus. Il était noble, il était riche, c'était tout à fait ridicule de s'intéresser ainsi à lui – et pourtant, elle le dévisageait sans trêve.

— Je l'ai croisé l'autre jour, au Palais-Royal, expliqua la jeune fille, essayant de justifier son intérêt.

— Oui, il est tout le temps chez Molière. Il s'intéresse beaucoup au théâtre.

Troublée, Ariane se tourna franchement vers Racine. C'était plus fort qu'elle : il fallait qu'elle en apprenne plus. Soudain, elle n'avait plus envie de songer à autre chose qu'à lui ; tout autre sujet de conversation lui paraissait trivial et inutile. Prenant son courage à deux mains, malgré ses joues qui brûlaient et son cœur agité, elle demanda :

— Vous le connaissez ?

Antonin observa Ariane qui se détournait pour discuter avec ce bon à rien de Racine, et la colère l'envahit. Pendant les quelques secondes où elle l'avait regardé, il avait eu l'impression qu'elle le reconnaissait. Et puis, elle s'était détournée.

Lui, il l'avait reconnue dès qu'elle était entrée dans

les appartements royaux. *Ariane*. Immédiatement, il avait eu envie d'aller à sa rencontre, de lui parler. C'était stupide. On ne salue pas une couturière ! Se forçant à rester immobile, il s'était contenté de l'observer en catimini.

Et puis, soudain, elle avait balayé la foule d'un œil presque inquiet – elle semblait chercher quelqu'un – et, l'instant d'après, inévitablement, leurs regards s'étaient croisés. Pendant les quelques instants où ils s'étaient fixés à travers la pièce, Antonin avait eu l'impression d'être saisi de vertige.

Et à présent, elle parlait avec ce poète sans le sou, ce Racine ! Furieux, il suivait des yeux la conversation animée, scrutant les joues légèrement rougies d'Ariane… Il se mit à maudire intérieurement Racine. Un poète ? Ça ? Pff… Un va-nu-pieds tout juste bon à écrire des vers pour flatter le roi, dans l'espoir de récolter un peu d'argent. Un type sans morale, à la vie dissolue, un arriviste, un ambitieux, un…

Soudain, Antonin interrompit sa diatribe intérieure, surpris de sa réaction. La couturière parlait avec un poète. Et alors ? N'en avait-elle pas le droit ? Quel besoin avait-il, lui, de se mettre en colère ?

Il se troubla. Il savait parfaitement ce qu'aurait dit son parrain, s'il l'avait consulté : que les tentations de la chair sont grandes ; que les femmes poussent au péché. Ces mises en garde lui avaient toujours paru superflues ; il n'était pas un de ces libertins qui séduisent leurs servantes, lui ! Il savait distinguer le Bien du Mal. Pourtant, il ne parvenait pas à détacher ses yeux de la jeune fille, et, tout à coup, les paroles du marquis résonnaient étrangement dans son esprit. Mais c'était injuste, à la fin ! Il ne *voulait pas* s'intéresser à la couturière de Molière.

Prenant sur lui, il détourna le regard. L'instant d'après, il pivotait à nouveau, pour jeter un coup d'œil, un dernier, à la jeune fille en grande conversation avec Jean Racine.

Ariane, rongée par la curiosité, se retenait à grand-peine d'observer le comte. Tout ce que lui apprenait Racine était si intriguant ! Antonin de Vilez était né dans l'une des plus grandes famille du Royaume. Il avait perdu sa mère à sa naissance ; et, un peu plus de deux ans auparavant, son père était mort à son tour.

— Il était tellement désespéré, expliquait Jean, qu'il n'est pas sorti de chez lui pendant des mois. Il ne voyait que son parrain, le marquis de Level... ou Laville... je ne sais plus. En tout cas, à présent, il fréquente à nouveau la Cour, mais on ne lui connaît pas vraiment d'amis. Par contre, il est toujours chez Molière, il couvre la troupe de cadeaux...

Malgré elle, Ariane chercha le comte du regard. Bien entendu, il ne la regardait plus ; le dos tourné, il se dirigeait vers la sortie. Elle observa sa silhouette sombre qui s'éloignait. Soudain, comme il passait la porte, un silence lourd, pesant, s'abattit sur la salle.

Tous, comédiens, domestiques, danseurs, courtisans, chanteurs, musiciens, avaient les yeux tournés vers l'entrée de droite. Sur tous les visages se mêlaient l'incrédulité et l'horreur, la peur et la surprise. À son tour, Ariane tourna la tête, pour voir ce qui avait pu, ainsi, attirer les regards.

Molière se tenait devant la porte, le visage en sang. Des marques de coups rougissaient ses tempes et ses bras. Il chancelait ; son pourpoint déchiré laissait deviner ce qui avait dû être une chemise, et n'était plus, à présent, qu'un lambeau de toile ensanglantée.

7

Quelques points de fil blanc

Pendant quelques secondes, le temps parut suspendu. Puis tout le monde se mit à parler en même temps ; d'un même élan, les comédiens accoururent vers leur chef :

— Que s'est-il passé ?

— Tu es tombé ?

— Tu souffres ?

— On t'a attaqué ?

— Ils étaient une dizaine, expliqua Molière. Ils m'attendaient devant la maison.

Il parlait d'une voix hachée ; de toute évidence, l'agression avait été d'une rare violence.

— Dès que je suis sorti, ils m'ont roué de coups. Des hommes de main, probablement.

À nouveau, la troupe observa un silence consterné. En cercle autour de Molière, ils prenaient la mesure du drame. Quelqu'un, sans doute, avait payé ces hommes ; quelqu'un qui leur en voulait. Et qui probablement, se sachant impuni, ne manquerait pas de recommencer.

Un frisson les parcourut, et Ariane, comme les autres, se sentit trembler. N'avait-elle pas, elle aussi, travaillé pour Molière ? Les comédiens regardaient leur patron d'un air abasourdi, attendant de lui des conseils, du réconfort. Mais Molière, encore sous le choc, s'assit en silence. Il saisit le mouchoir que lui tendait sa femme et le pressa sur sa tempe ouverte, qui saignait.

Ce fut Madeleine, la première, qui rompit le silence :

— Tu peux jouer ?

— Je ne sais pas, répondit-il d'un ton las.

Et s'il fallait annuler ? Si Molière ne pouvait pas jouer ? La colère du roi serait terrible.

— Il faudrait envoyer chercher un docteur, proposa Armande. Le roi te prêtera sûrement Vallot, son médecin.

— Oui, j'ai grand besoin de quelques formules latines, tenta de plaisanter Molière, mais sa voix s'étrangla dans le fond de sa gorge.

Dans la troupe, tout le monde savait que Molière se méfiait des docteurs, tout juste bons selon lui à jouer les savants. Pourtant, cette fois-ci, son ironie n'amusa personne : le comédien était gravement blessé. Les autres l'entouraient toujours, inquiets, soudés.

À grand-peine, Molière se leva ; il titubait, et s'appuya pesamment sur le bras que lui tendait sa femme.

— Je vais m'habiller, déclara-t-il.

Il commença à s'avancer vers les coulisses, soutenu par Armande. De toute évidence, il ne pouvait marcher sans son aide.

Restés seuls, les comédiens commencèrent à chuchoter fiévreusement :

— C'est encore un noble qui s'est « reconnu » dans un personnage de Molière et a voulu se venger, déclara La Grange.

— Sûrement, acquiesça Catherine de Brie, une des comédiennes. Comme le jour où le duc de La Feuillade avait attaqué Molière ! Vous vous souvenez ? Il avait le visage en sang !

— Ou alors, c'est un dévot, répondit Madeleine. Ils sont furieux depuis *L'École des femmes*, qu'ils ont trouvée scandaleuse ! Sans parler de la nouvelle pièce…

Molière avait commencé à écrire une comédie qui prenait pour cible, leur avait-il dit, la religion un peu trop ostentatoire pour être honnête. La pièce attaquait le puissant groupe des dévots, ces catholiques fervents persuadés que la religion devait gouverner la société… Et si, cette fois-ci, le comédien faisait un pas de trop vers la provocation, et les entraînait tous dans sa chute ?

— Il faudrait lui parler, chuchota Marquise. Nous sommes là pour divertir les gens, pas pour donner des leçons d'athéisme !

— Les dévots ne plaisantent pas, acquiesça La Grange. Il n'y a pas deux ans, ils ont envoyé un poète, Claude Le Petit, sur le bûcher pour blasphème !

— Jean-Baptiste sait ce qu'il fait, répliqua sèchement Madeleine.

Un silence pesant retomba sur le petit groupe. La catastrophe était imminente. Dans quelques minutes, Louis XIV allait arriver. On ne faisait pas attendre le roi, surtout quand celui-ci était jeune, impatient, et qu'il n'avait qu'une envie : danser dans le ballet qu'on devait créer exprès pour lui. Molière était là pour amuser son souverain ; et s'il faillait à sa mission, on trouverait bien quelqu'un pour le remplacer.

Les violons s'accordaient. Un grand remous se fit près de l'entrée. Ariane aperçut La Grange, le comédien, qui accourait vers elle :

— Le roi fait dire qu'il est prêt ! Molière est-il capable d'entrer en scène ?

— Je ne sais pas, répondit la jeune fille, angoissée. Il est encore en coulisses.

— Va prévenir Madeleine !

Ariane courut, le plus vite possible. Armande et Madeleine avaient tant bien que mal costumé Molière, qui portait un manteau vert à boutons violets. À présent, elles tentaient de recouvrir les bleus et les blessures de maquillage. Le comédien, assis sur une chaise, les yeux fermés, ne disait pas un mot ; il se contentait de presser sur sa tempe un mouchoir, à présent imbibé de sang.

— Le roi arrive ! annonça la jeune fille.

Consternées, les deux femmes se regardèrent. Molière ne tenait pas debout, et il saignait toujours. Jamais il ne pourrait tenir son rôle, le rôle principal.

— Il faut dire au roi que Molière est blessé, décida Armande.

— C'est impossible ! protesta Madeleine. Le roi *danse* dans ce ballet. Que va-t-on lui dire ? « Votre Majesté, nous sommes désolés, mais vous ne pouvez pas entrer en scène. Il faut reporter votre spectacle » ? On ne dit pas ça au roi !

— Mais il saigne ! Il n'arrête pas !

Armande avait crié ; elle était au bord des larmes. Madeleine posa une main rassurante sur l'épaule de la jeune femme, et déclara :

— Tout ira bien. Il y a forcément une solution.

Déjà, Ariane entendait le brouhaha du public qui entrait. Invisibles, les spectateurs qui s'installaient au premier rang murmuraient, excités : qu'allait donc encore inventer Molière pour faire rire le roi ?

À leur tour, les autres comédiens pénétrèrent dans les coulisses et considérèrent, atterrés, Molière immobile et d'une pâleur effrayante.

— Il saigne trop, répétait Armande. Il saigne trop.

— Que fait-on, Madeleine ? demanda La Grange.

— Je ne sais pas, répondit celle-ci, la gorge nouée.

Elle en avait connu, des instants critiques, pendant les vingt années qu'elle avait passées aux côtés de Molière ; mais jamais encore elle ne l'avait vu ainsi, muet, abattu, incapable de jouer. Pourtant, il fallait faire quelque chose. Perdre la faveur du roi, c'était tout perdre : théâtre, pensions, protections. Il n'y aurait plus qu'à refaire les bagages, et à repartir sur les routes de France.

Madeleine inspira profondément.

— Jean-Baptiste ! dit-elle d'un ton péremptoire.

— Oui ? répondit Molière, ouvrant enfin les yeux.

— Tu peux, ou tu ne peux pas ?

Pendant ce qui sembla à tous une éternité, Molière et Madeleine se regardèrent droit dans les yeux. Ils étaient lancés dans une discussion muette, que nul ne pouvait comprendre. Finalement, Molière, un peu plus fermement, déclara :

— Je peux.

— Mais tu saignes ! cria Armande, et sa voix dérapa dans les aigus.

D'un geste dramatique, elle ôta le mouchoir que Molière maintenait pressé sur sa tempe. Celle-ci était ouverte, sur plusieurs centimètres ; le sang s'en échappait toujours.

— Ariane ! commanda Madeleine, sur un ton toujours autoritaire et sans appel.

— Oui ? demanda la jeune fille, en s'approchant, un peu inquiète.

Que lui voulait donc Madeleine ? Était-elle censée aider Molière à entrer en scène ? Un léger soulagement la traversa lorsqu'elle vit que celle-ci ne lui tendait rien d'autre qu'un fil blanc et une aiguille. Il s'agissait seulement d'arranger un peu le costume du comédien !

— Recouds-moi, ordonna Molière, avec un sourire ironique et fatigué.

— Où ? demanda Ariane à Madeleine.

Le costume lui semblait tout à fait en ordre ; il ne manquait aucun bouton, les hauts-de-chausses étaient parfaitement en place.

— La tempe, bien sûr, répondit simplement Madeleine.

Un frisson d'horreur traversa Ariane, et les autres comédiens regardèrent Molière comme s'il avait perdu la raison.

— Mais..., bafouilla la jeune fille, terrorisée.

C'était impossible ! C'était absurde !

— Ariane, vite, ordonna encore Madeleine. Il faut arrêter le sang !

Ariane secoua la tête ; elle ne pouvait pas le faire. Elle tremblait trop. Elle savait coudre des robes, des jupes, des corsages ; elle pouvait faire des points dans la soie, dans le coton, dans la laine ; mais elle ne pouvait pas *recoudre Molière*.

— Ariane !

Cette fois, c'était Molière qui avait parlé. D'un geste ferme, il saisit la jeune fille par le poignet. Ses yeux noisette ne pétillaient plus ; ils étaient déterminés et sévères.

— Je DOIS jouer !

À cet instant retentirent les premières notes de l'ouverture. Avec ou sans Molière, la pièce commençait, et elle vit dans le regard du célèbre dramaturge un éclair de panique.

Alors, sans réfléchir, la jeune fille se pencha sur le comédien. Il ferma les yeux, et inclina vers elle sa blessure qui saignait. Sans penser, sans respirer, Ariane planta son aiguille dans la peau ; elle vit le visage de Molière se crisper de douleur.

L'ouverture musicale, Ariane le savait, était très brève. Elle n'avait qu'une minute, à peine. Le cœur battant à tout rompre, elle planta son aiguille, encore et encore. La vue du sang, de la chair à vif étaient épouvantables ; elle sentit des larmes perler au coin de ses yeux. Mais les points empêcheraient le sang de couler le temps de la représentation.

Au moment où l'accord final retentit, Ariane noua le fil. La tempe de Molière était à présent barrée de quelques points de fil blanc. Immédiatement, le comédien bondit sur ses pieds et se précipita sur scène, lançant sa première réplique :

— *Si l'on m'apporte de l'argent, que l'on me vienne quérir vite chez le Seigneur Géronimo ; et, si l'on vient m'en demander, qu'on dise que je suis sorti, et que je ne dois revenir de toute la journée.*

Immédiatement, les spectateurs éclatèrent de rire, sans paraître remarquer ni la démarche mal assurée du comédien ni sa voix hésitante. À son tour, La Thorillière, l'acteur qui lui donnait la réplique, entra en scène ; et la pièce démarra, sous les applaudissements et les éclats du public.

Molière, réalisa Ariane stupéfaite, faisait le pitre comme si de rien n'était. Même, il utilisait sa démarche boiteuse, son corps blessé, pour rendre le personnage encore plus ridicule et décrépit. Lui qui, quelques instants avant, était effondré sur sa chaise, irradiait à présent d'énergie et de charisme. Ses répliques arrachaient des fous rires aux spectateurs.

Puis Marquise, à son tour, entra en scène ; son jeu joyeux et séducteur augmenta encore le brouhaha du public. La musique de Lully retentit ; le ballet qu'elle accompagnait était joyeux et coloré. Tandis que Molière, sur scène, se lamentait à l'idée d'être cocu, le roi, déguisé en Bohémien, vint danser devant la Cour. Marquise, quant à elle, enchaînait les pas complexes et les culbutes époustouflantes. Tout à coup, sa jupe fendue laissa voir sa culotte au public : les bravos et les cris redoublèrent.

Les comédiens revinrent en coulisses sous des applaudissements crépitants. Aucun d'eux ne parut remarquer Ariane, qui, tapie contre un rideau, les considéraient avec admiration. Ils se préparaient à aller saluer de nouveau lorsque, soudain, Molière se tourna vers Madeleine :

— Quel sang-froid, cette gamine !

Ariane, avec un frisson de plaisir, réalisa qu'il parlait d'elle.

— Et ce costume d'Égyptienne est très réussi, ajouta encore le comédien.

— J'étais impressionnée, moi aussi, souffla Madeleine. Elle a du cran. Tu n'as pas trop mal ?

Molière passa un doigt pensif sur sa tempe, où les points de fil blanc maintenaient toujours la blessure fermée. Ils avaient frôlé la catastrophe. Il hocha la tête, et déclara d'un ton décidé :

— Je veux qu'elle fasse plus que tes costumes : désormais, c'est elle, et elle seule, qui confectionnera toutes nos robes.

Ariane n'eut pas le temps de se demander si elle avait bien entendu ; déjà, ils étaient retournés sur scène, entourés de la troupe. Un tonnerre d'applaudissements accompagna le salut de Molière, et la robe d'Égyptienne, gracieuse et élégante, s'inclina devant Sa Majesté.

8

Le masque dans la nuit

Avril 1664

Comme elle traversait la boutique, Ariane sentit peser sur elle le regard irrité de Blanchette. La troupe de Molière avait beau rapporter de l'argent, sa patronne méprisait toujours autant les comédiens. Combien de fois au cours des derniers mois Ariane n'avait-elle pas eu à subir des remarques acides, des réprimandes, des punitions ?

— Bonne répétition ! cria Élise, en la voyant sortir.

— Merci !

Ariane adressa un bref sourire à sa cousine, avant de pousser la porte. Au fond, peu importait la mauvaise humeur de Blanchette. Elle allait assister à une répétition ! Et pas n'importe laquelle : aujourd'hui, Molière devait leur présenter le prochain spectacle qu'ils allaient mettre en scène. Ariane bouillait d'impatience : au printemps, toute la troupe se rendrait à Versailles, pour les grandes fêtes royales, et c'était elle qui serait chargée de faire les robes !

Tout en descendant la rue du Jour, Ariane songea à ce que lui avait expliqué Madeleine, la dernière fois qu'elle était passée à la boutique : « Le roi a l'intention d'impressionner la noblesse en lui offrant les fêtes les plus longues et les plus somptueuses qu'on ait jamais vues. Et c'est notre troupe qu'il a choisie pour donner un spectacle ! »

« Et c'est moi, songea Ariane en marchant le long de la rue Saint-Honoré, qui ferai les robes. Des robes que toute la noblesse verra ! »

Lorsque Ariane entra dans le théâtre, elle était encore en train d'imaginer les grandes fêtes du roi. Dans un coin, les comédiens étaient engagés dans une conversation animée. Molière, lui, n'était toujours pas là. En s'avançant, elle remarqua la silhouette sombre du comte de Vilez, qui se tenait seul, un peu en retrait. Comme à l'ordinaire, son visage était marqué par une expression la fois impénétrable et vaguement insolente.

Le jeune homme aimait assister aux répétitions ; il était si riche et si généreux avec la troupe qu'on ne pouvait guère lui refuser l'entrée du théâtre. Les comédiennes savaient qu'il suffisait de lui demander pour qu'il leur offre un costume ; il n'hésitait pas à envoyer ses laquais donner un coup de main aux ouvriers, et, plus d'une fois, il avait aidé l'un ou l'autre à apprendre son texte. C'était un ami discret, timide, qui ne parlait presque jamais : il semblait toujours profondément préoccupé.

Il fut le seul à remarquer l'entrée d'Ariane, et parut hésiter un instant. Allait-il venir lui parler ? Chaque fois qu'ils s'étaient aperçus, ces derniers mois, il l'avait observée intensément, en silence ; de temps en temps, il semblait sur le point de lui dire quelques mots, puis se ravisait. Aujourd'hui, cependant, il esquissa un pas dans sa direction. Immédiatement, celle-ci sentit son cœur s'emballer. Le comte de Vilez. Il s'approchait d'elle.

Mais, alors qu'elle le regardait s'avancer, quelqu'un lui tapota l'épaule : elle se retourna. C'était Jean Racine. Le comte de Vilez eut un mouvement de recul. S'efforçant de cacher son désappointement, Ariane sourit au jeune poète : après tout, elle l'appréciait. Au fil des mois, ils avaient sympathisé ; tous deux, ils étaient pauvres, et tous deux, ils rêvaient de se faire un nom.

— Comment va *La Thébaïde* ? demanda poliment Ariane.

La Thébaïde était une des premières tragédies de Racine, qu'il peaufinait dans l'espoir que Molière la joue.

— Molière va la monter, c'est sûr ! répondit le jeune homme, enthousiaste. D'ailleurs, j'ai encore amélioré les lamentations de la mère, j'ai trouvé quelques vers qui…

Et sans plus d'explications, il se mit à déclamer :

— *Ne cesserons-nous point, après tant de malheurs,*

Vous, de verser du sang, moi, de verser des pleurs ?

Discrètement, Ariane jeta un coup d'œil au comte : il était retourné dans un coin de la pièce, muet et immobile comme à l'ordinaire. Pourtant, au moment où leurs yeux se croisèrent, il esquissa un léger sourire.

— Je voudrais que Marquise ait le rôle d'Antigone, poursuivait Racine. C'est vraiment une comédienne merveilleuse.

Ariane allait répondre lorsque, soudain, la porte s'ouvrit : Molière se tenait à l'entrée du théâtre, une pile de manuscrits entre les mains.

Ariane croisa le regard de Molière, qui, de loin, lui adressa un petit sourire. Elle rougit : être remarquée par le célèbre comédien était toujours un honneur. Celui-ci entra dans la pièce comme il entrait en scène, avec cette assurance et ce brio qui n'appartenaient qu'à lui. Tous les regards se tournèrent dans sa direction, et les bavardages insouciants des comédiens cessèrent. À présent, ils lorgnaient les manuscrits avec curiosité. Malicieusement, le chef de troupe laissa planer un silence, comme pour faire durer le suspense. N'y tenant plus, Charles La Grange demanda :

— Alors ? La nouvelle pièce ?

— Je l'ai, répondit Molière avec un sourire.

Impatients, les comédiens le regardèrent s'avancer, et s'adosser à la scène. Quelle pièce joueraient-ils donc pour les grandes fêtes du roi ? Finalement, ménageant ses effets, Molière commença à parler :

— Nous ne jouerons pas *une* pièce. J'ai parlé avec le duc de Saint-Aignan, qui s'occupe de l'organisation des fêtes. Nous présenterons *plusieurs* spectacles. Un défilé, une comédie galante, une reprise du *Mariage forcé,* et d'autres pièces encore…

Cette révélation fit l'effet d'une bombe. Les questions fusèrent de toutes parts :

— Comment s'appelle la comédie ?

— De quoi est-il question ?

— Qui jouera dedans ?

— La comédie s'appelle *La Princesse d'Élide*, répondit Molière. Je ne l'ai pas encore tout à fait écrite, mais ce sera une comédie galante, une histoire d'amour, très simple… Une princesse qui refuse de se marier, un prince amoureux d'elle fait semblant de lui être indifférent pour attirer son attention…

— Et alors, quelles seront les autres pièces ? s'enquit Madeleine.

Molière ne répondit pas immédiatement et sourit, d'un sourire qu'Ariane, cette fois, trouva presque tendu. Que cachait-il ? Les comédiens commencèrent à débattre de ce qu'il conviendrait de jouer : chacun y allait de sa suggestion, de son idée. L'un proposait un ballet. L'autre suggérait une farce : après tout, le comique un peu grossier, les coups de bâton, les tours pendables joués à des personnages ridicules n'étaient-ils pas certains de faire rire le roi ? Le troisième se prononçait pour une comédie espagnole, le quatrième pour une tragi-comédie en vers. Ariane, elle, rêvait de créer des costumes de tragédie, qui étaient les plus somptueux. La perspective des fêtes royales réjouissait tout le monde et la salle bruissait de conversations animées. Mais Molière les interrompit, déclarant d'une voix grave :

— J'ai écrit une comédie… L'histoire d'un imposteur, qui, sous le couvert d'être dévot, s'introduit dans une famille et tyrannise tout le monde. La pièce s'appelle le *Tartuffe*, et elle sera parfaite pour Versailles.

Un silence de plomb suivit cette déclaration. Bien sûr, les comédiens n'ignoraient pas que Molière avait commencé à écrire une pièce contre les dévots. Mais de là à la jouer à Versailles ! Et devant le roi ! Ils échangèrent un regard effrayé. Désormais, ces fanatiques ne les laisseraient plus en paix : on n'aurait pu rêver déclaration de guerre plus directe et plus franche.

Les secondes passaient, lentement, dans un mutisme glacial. Ce fut La Grange qui prit la parole en premier :

— Est-il bien prudent d'attaquer les dévots ? Nous avons déjà suffisamment d'ennemis comme ça !

Il parlait d'un ton conciliant, comme s'il avait craint

de froisser Molière. Mais avant que celui-ci n'ait eu le temps de répondre, Marquise s'exclama, d'une voix aigre et pincée :

— Je ne tiens pas à finir brûlée, moi !

— Tant mieux, répliqua sèchement Molière, il n'y a pas de rôle pour toi dans le *Tartuffe*.

Sa remarque mordante jeta un froid parmi les acteurs, et la comédienne eut grand-peine à dissimuler sa mortification.

— Voici vos textes, déclara Molière, irrité de toute évidence par la réaction réservée de sa troupe.

Il leur tendit la liasse de feuillets qu'il tenait entre les mains.

— Du Croisy, tu joueras Tartuffe, le faux dévot. Moi, je jouerai Orgon, le bourgeois crédule qui se laisse abuser par Tartuffe. Armande, tu seras Elmire, la femme d'Orgon, que Tartuffe veut séduire.

— Veut *séduire* ? l'interrompit Armande, incrédule. Un dévot, séduire une femme mariée ?

— Faux dévot, répondit Molière, avant de poursuivre comme si de rien n'était : Louis, tu seras la mère ; Madeleine, tu joueras la servante perspicace ; Catherine, tu seras Marianne, la fille d'Orgon, que Tartuffe veut épouser.

— Veut *épouser* ? s'exclama une nouvelle fois Armande.

Les comédiens échangèrent un regard catastrophé. Dans quoi allait-il les entraîner ? La polémique autour de *L'École des femmes* s'était prolongée pendant des mois ; et voilà qu'avec ce *Tartuffe*, Molière menaçait de jeter un nouveau pavé dans la mare.

— Tu ne crains pas le scandale ? risqua encore Armande.

Son époux haussa les épaules :

— Le scandale, c'est bon pour les affaires ; cela attirera les gens.

Bien que réticents, tous les comédiens prirent le texte qu'il leur donnait. Curieux, ils commençaient à déchiffrer leurs répliques lorsque Molière les mit en garde :

— Surtout, ne montrez le texte du *Tartuffe* à personne ! Ne le prêtez à personne ! Il faut à tout prix éviter de fournir des armes à nos ennemis.

Marquise ne put se retenir de remarquer à mi-voix qu'ils n'auraient pas eu besoin de se méfier si Molière ne s'en était pas pris aux dévots. Celui-ci s'exclama :

— La mission du théâtre, la mission de la comédie, c'est d'instruire par le rire. Je refuse d'être un simple amuseur public ! Le théâtre est là pour ouvrir les yeux des gens.

Les comédiens, soudain, semblèrent n'avoir plus rien à répliquer.

— Les dévots mentent, trompent, nous assaillent sans cesse d'attaques mesquines et de préjugés, et nous devrions leur laisser les coudées franches parce que nous avons peur ? poursuivait Molière. Ils dirigent le monde, sous prétexte d'obéir à la parole divine. Je refuse de me laisser gouverner par ces fanatiques ! Personne ne m'empêchera de dire ce que je pense, de défendre ce en quoi je crois !

Il émanait de Molière tant d'énergie, et tant de détermination, que la troupe s'était instinctivement mise à acquiescer à ses propos. Ariane se sentit étrangement émue. Les dévots n'avaient qu'à bien se tenir !

Lorsque Ariane quitta le théâtre, la nuit était tombée sur le Palais-Royal. Pourtant, il lui semblait qu'une heure, à peine, s'était écoulée depuis son arrivée. La répétition avait été tellement passionnante ! Le *Tartuffe* était la pièce la plus drôle, la plus impertinente, la plus profonde qui fût. Et elle critiquait les dévots avec tant de finesse ! Orgon, le bourgeois qui adulait Tartuffe et obéissait au moindre de ses désirs, était le type même de l'idiot abruti par la religion.

La jeune fille s'éloigna d'un pas rapide. Il était si tard ! En rentrant, elle aurait sûrement droit à un sermon de Blanchette, mais elle ne le regrettait pas. Déjà, elle commençait à rêver aux robes qu'elle pourrait créer pour les comédiennes.

Soudain, comme elle traversait la cour plongée dans la pénombre, Ariane s'arrêta, sur le qui-vive. Là-bas, quelque part dans le noir, elle aurait juré avoir aperçu quelqu'un. Elle scruta les façades, que l'ombre recouvrait d'un voile opaque et inquiétant. Et, tout à coup, elle la vit.

Émergeant d'entre deux piliers, il y avait une main, gantée de noir, qui enserrait un poignard.

« Mon Dieu », songea Ariane. Terrifiée, elle hurla.

Immédiatement, l'inconnu bondit sur elle. Son visage était recouvert d'un masque de velours sombre ; on n'en distinguait que la bouche, déformée par un rictus menaçant.

— Chuut ! souffla-t-il.

« Ne pas céder à la panique, pensa Ariane. C'est probablement un voleur, il ne va pas me tuer. Il ne va pas me tuer. » Déjà, il la retenait prisonnière. Elle sentait la lame du couteau contre sa gorge. À chaque inspiration, le métal froid s'enfonçait dans sa gorge. L'homme lui avait attrapé et tordu le bras. Impossible de fuir.

— Laissez-moi, gémit Ariane.

Que lui voulait-il ? Elle n'était pas riche, elle n'était qu'une simple couturière ! Soudain, sans lâcher son étreinte, l'homme grogna, d'une voix que son masque étouffait :

— Tu ne dois pas travailler pour Molière ! Plus jamais !

Le cœur d'Ariane s'emballa : l'inconnu faisait partie des ennemis de Molière. Allait-elle être rouée de coups, comme le comédien, trois mois plus tôt ? Elle revoyait sa tempe ouverte et saignant, saignant à flots…

— Gare à toi si tu continues à travailler pour cette troupe ! Jure que tu les abandonnes !

L'angoisse gagnait Ariane par bouffées, mais elle ne desserra pas les lèvres. Pour rien au monde, elle ne trahirait Molière. C'était Madeleine qui lui avait donné sa chance, Molière qui avait tenu à l'engager – et elle leur serait loyale.

— Tu vas renoncer ! reprit l'homme, sa voix rauque plus menaçante que jamais.

— Non ! hurla Ariane.

Plus que de la détermination, c'était de la terreur que révélait ce cri. Mais, au moins, Ariane n'avait pas cédé. Elle n'avait pas renié Molière.

Ce fut une courte victoire. L'homme resserra son étreinte.

— Dans ce cas, murmura-t-il, il faut parfois faire des exemples.

Il lui tordit violemment le bras, la paralysant complètement. La douleur était trop forte ; elle avait l'impression qu'il lui brisait l'os.

— Lâchez-la !

Une voix avait surgi des ténèbres, loin derrière Ariane. C'était la voix du comte de Vilez, qui venait de sortir du théâtre. L'homme au masque la lâcha. Un instant, il sembla hésiter ; puis, tournant les talons, il s'éloigna à grands pas.

Instinctivement, la jeune fille tenta de l'arrêter. Il fallait le démasquer. Elle tendit la main ; ses doigts se refermèrent sur sa manche. Le tissu craqua et un fil resta entre les mains d'Ariane. Il décampait ! Il allait s'en tirer. Mais non… « En courant, songea-t-elle, je pourrais encore le rattraper. »

— Mais vous êtes folle ! s'exclama le comte de Vilez qui avait couru jusqu'à elle. Cet homme était prêt à vous égorger, et vous ne trouvez rien de mieux à faire que de lui courir après !

— Il en voulait à la troupe, expliqua Ariane. Il faut savoir qui c'est ! Il est peut-être aux ordres de quelqu'un !

— Ce n'est pas prudent. S'il a effectivement des complices, qu'est-ce qui prouve qu'ils ne l'attendent pas tout près d'ici ?

Ariane jeta au comte un coup d'œil défiant. Elle ne le comprenait pas. C'était l'occasion rêvée de confondre les ennemis de Molière ; son agresseur était probablement un de ceux qui avaient battu le comédien.

— Comment vous sentez-vous ? demanda-t-il encore.

Il posa la main sur le bras d'Ariane, que l'homme avait tordu. Avec surprise, la jeune couturière remarqua qu'il y avait comme de la tendresse dans son geste.

— Ça va..., hésita-t-elle. Merci, encore une fois.

Le comte – qui tenait toujours, très légèrement, son bras – esquissa un sourire, et répondit :

— Décidément, c'est à croire que l'endroit est dangereux. Venez, je vais...

La voix de Madeleine retentit derrière eux :

— Qui a crié ?

La comédienne accourait avec, sur ses talons, le reste de la troupe. Comme pris en faute, le comte sursauta, et retira sa main.

Immédiatement, chacun s'empressa autour de la jeune fille. Elle raconta plusieurs fois l'attaque dont elle avait été victime. Chaque fois, les comédiens poussaient des exclamations, des cris de révolte ou d'inquiétude. Ils savaient que, tous, ils étaient menacés.

— Je peux vous raccompagner, si vous voulez, proposa Jean Racine.

Le comte, ayant entendu ces mots, fronça les sourcils.

— Merci, répondit Ariane. Cela me rassurerait vraiment.

— Allons-y, alors.

En s'éloignant, elle passa devant Molière, qui lui adressa un sourire.

— Merci, dit-il simplement.

Ariane lui sourit en retour. Elle savait qu'il avait compris que, comme les autres membres de la troupe, elle le suivrait jusqu'au bout.

— On y va ? demanda Racine.

Ariane lui emboîta le pas. Et, tandis qu'ils s'enfonçaient dans la nuit, elle songea qu'il fallait qu'elle retrouve son mystérieux agresseur avant qu'il ne la retrouve. Il fallait le confondre.

Ce serait difficile. Mais, dans son poing fermé, elle serrait un long fil de laine sombre qui, avec un peu de chance, la mènerait jusqu'à l'homme au masque.

9

Le fil de laine noire

Élise parcourut le récapitulatif des commandes qu'elle avait notées sur le registre de comptes. Les quantités de tissus étaient impressionnantes.

— J'ai commandé quinze aunes de soie noire, dix de dentelle de lin blanc, cinq de soie à fleurs..., énuméra-t-elle.

— Le roi devrait donner des fêtes plus souvent ! se réjouit Blanchette. Nous n'avons jamais eu autant de travail. Toutes les femmes de la Cour veulent de nouvelles tenues !

— Ariane, demanda Élise, fronçant soudain les sourcils, tu as vraiment besoin de toute cette soie dorée ? Et ces rubans ?

Sa cousine, assise en silence dans un coin de l'atelier,

contemplait un morceau de fil noir. Non sans surprise, Élise remarqua l'air sombre qui flottait sur son visage ; elle paraissait absorbée par de bien moroses pensées.

— Ariane ?

L'intéressée releva enfin la tête. Mais, de toute évidence, elle n'avait pas entendu la question.

— Pourquoi commander autant de tissu doré ? Tu n'aimes pas le doré !

— C'est pour Armande, expliqua Ariane, l'air un peu perdu. Il va y avoir un grand défilé à Versailles et elle sera déguisée en « Âge d'or »...

— Molière veut une robe d'« Âge d'or » ? demanda Élise, soudain enthousiaste.

Elle ne savait pas exactement ce qu'était l'Âge d'or, mais, si cela impliquait des rouleaux de soie et de rubans dorés, elle *adorait* ! L'« Âge d'or »... Cela signifiait certainement qu'il fallait créer la robe parfaite, celle d'une époque idéale et révolue. Ariane avait tellement de chance !

— Tu sais déjà à quoi elle va ressembler ?

— Je n'en ai pas la moindre idée, soupira Ariane.

Et elle se replongea dans la contemplation du petit fil de laine noir. Élise demeura perplexe. On offrait à Ariane de créer une robe de rêve – une robe de conte de fées – et elle n'avait d'yeux que pour... un fil !

— Que se passe-t-il ? demanda Élise.

En soupirant, Ariane enroula rapidement le fil autour de son doigt, et s'approcha d'Élise.

— Je suis juste un peu fatiguée, expliqua-t-elle.

Élise considéra sa cousine. Elle avait vu Ariane fatiguée auparavant, lorsqu'elles travaillaient tard le soir, à la lumière d'une chandelle, sur des robes qui semblaient ne jamais se terminer. Elle l'avait vue se battre contre des tissus jusqu'à l'épuisement, jusqu'à ce que ses yeux ne tiennent plus ouverts... Mais, aujourd'hui, ce n'était pas de la fatigue qu'elle lisait dans son regard, non. C'était de l'inquiétude. De la peur, même.

— Que se passe-t-il, Ariane ? insista Élise.

— Tu veux vraiment savoir ?

Dans le regard abattu qu'elle leva sur elle, Élise retrouva un instant la petite fille qui avait frappé à leur porte, six ans plus tôt. C'était la même Ariane sur le qui-vive, effrayée ; celle qu'elle avait immédiatement eu envie de protéger.

— Tu sais très bien que tu peux me le dire.

Ariane soupira. Peut-être, après tout, Élise était-elle vraiment son amie. Peut-être valait-il mieux oublier le jour de Versailles, la trahison de sa cousine. Oublier, pardonner, recommencer. « J'ai tellement besoin d'une amie », réalisa soudain Ariane, avec un pincement au cœur. Finalement, elle lâcha, très bas, très vite :

— J'ai été attaquée, hier soir.

Élise sentit ses membres se glacer. Attaquée ? Que voulait-elle dire ?

— Un homme a menacé de me tuer, si je persistais à travailler pour Molière.

Élise considéra sa cousine, bouche bée. Bien sûr, elle n'ignorait pas la réputation sulfureuse de Molière – mais songer qu'Ariane puisse être menacée ! Ariane ! Sa cousine ! Elle sentit la colère monter.

— Tu as réussi à le chasser ? demanda-t-elle finalement.

— Euh…, hésita Ariane.

Ses joues s'empourprèrent, tandis qu'elle balbutiait :

— Le… le comte de Vilez est arrivé, et…

— Le comte de Vilez ?

Ariane n'avait jamais – jamais – mentionné un « comte de Vilez ». Élise en était sûre. Depuis quand connaissait-elle un *comte* ?

— C'est… euh, enfin, il assiste à certaines répétitions de la troupe, expliqua-t-elle, l'air encore plus embarrassé.

Pourquoi rougissait-elle ainsi ? Élise ne vit qu'une explication possible :

— Il est beau ?

— Assez, oui, je crois.

« Il ne doit pas être très vieux ; il a peut-être une trentaine d'années…, se mit à imaginer Élise. Vu comment elle rougit, il doit être très, très beau. »

— Quel âge a-t-il ? demanda-t-elle encore.

— Peut-être, euh, quinze ans… dix-sept ?

Quinze ans ? Élise fronça les sourcils, soucieuse

cette fois. Quinze ans ? Ariane était-elle en train de tomber amoureuse ?

— Ariane, murmura-t-elle d'un ton hésitant, tu… enfin, vous…

— Oh, non, rétorqua vivement sa cousine. On ne se parle jamais.

Loin de rassurer Élise, cette réponse proférée sur un ton plein de regret vint conforter ses soupçons.

— Et que penses-tu de lui ? insista-t-elle.

Ariane baissa les yeux, confuse. Un instant, elle sembla hésiter à parler, puis, d'un ton précipité, elle lâcha :

— Je ne pense rien de lui, enfin, rien en particulier, mais je pense tout le temps *à* lui, et je sais qu'il ne faut pas mais…

Élise soupira, atterrée. Il n'y avait probablement qu'Ariane pour se mettre dans des situations pareilles. Un noble ! Quelle idée ! Gentiment, elle prit sa cousine par l'épaule, et chuchota :

— Ariane, c'est un *comte* !

— Oui, je sais, soupira celle-ci.

Ne sachant quoi ajouter, Élise se contenta de serrer sa cousine dans ses bras. Les deux jeunes filles restèrent un instant silencieuses ; puis Élise, remarquant le fil de laine noir qui était toujours enroulé autour du doigt d'Ariane, la questionna :

— Qu'est-ce que c'est ?

— J'ai arraché ça à sa veste. La veste de l'homme qui m'a attaquée.

À son tour, Élise prit le fil avec précaution, et l'examina.

— C'est de la laine, précisa Ariane. Assez simple, même plutôt banale.

— Le pauvre homme n'a vraiment aucun style, soupira Élise avec ironie.

Elle observa Ariane, qui ne quittait pas le fil des yeux.

— Tu n'as pas trop peur ? demanda-t-elle simplement.

— Ça va.

Puis, fixant Élise, elle ajouta avec détermination :

— Mais je veux retrouver cet homme !

Élise retint à grand-peine une protestation indignée. Retrouver son agresseur, c'était se jeter dans la gueule du loup ! Ariane était-elle donc stupide ? Pourtant, elle se força à rester calme : il fallait qu'elle raisonne sa cousine. Mais, lorsqu'elle croisa le regard farouche d'Ariane, qui semblait bien déterminée à rendre coup pour coup, tous ses arguments lui parurent soudain bien dérisoires. Elle répondit simplement :

— Montrons ce fil à Maman. Elle aura peut-être une idée de sa provenance.

Blanchette jeta un coup d'œil rapide au fil, et leur rit presque au nez :

— Qu'est-ce que vous espérez ? Retrouver une

veste à partir d'un fil aussi ordinaire ? C'est ridicule, voyons !

Ariane et Élise se regardèrent, désemparées : ce fil était peut-être un maigre indice, mais c'était le seul dont elles disposaient.

— Et d'ailleurs, pourquoi voulez-vous retrouver cette veste ? questionna-t-elle encore. À qui appartient-elle ?

Ariane, qui ne tenait pas à insister, éluda la question. Mais Élise, encore choquée par les révélations de sa cousine, raconta d'un ton haché :

— Ariane a été attaquée ! Un homme l'a menacée des pires représailles si elle ne renonçait pas à travailler pour Molière !

Blanchette pâlit. « Aurait-elle quand même un cœur ? » se demanda soudain Ariane, incrédule. Mais le doute ne subsista qu'un instant. Sa tante déclara d'une voix blanche :

— Mon Dieu ! Croyez-vous que cet homme irait jusqu'à s'en prendre à l'atelier ?

— Il a probablement l'intention de brûler la boutique, oui, railla Ariane.

Cela ne fit pas du tout rire Blanchette. Elle avait froncé les sourcils. Finalement, elle annonça :

— Mieux vaudrait que tu renonces, effectivement. C'était une commande importante, mais inutile de prendre des risques. Les comédiens sont des gens immoraux. Évitons-les.

Décidément, Blanchette avait de la loyauté et du courage des notions plus que relatives, réalisa Ariane.

— Molière est un homme bien, affirma-t-elle d'un ton péremptoire, écœurée par tant de lâcheté. Il mérite qu'on le soutienne, et je ne l'abandonnerai pas !

— Molière, un homme bien ! s'esclaffa Blanchette, méprisante. Parce qu'il fait rire les gens ? C'est à la portée du premier venu !

— Parce qu'il défend ses opinions. Parce qu'il n'a pas peur de dire la vérité, répondit Ariane sans se démonter.

Elles étaient l'une face à l'autre, debout, frémissantes de rage et de rancœur mêlées. Des mois de tensions, de conflits, de jalousie resurgissaient soudain ; Molière n'était plus qu'un prétexte.

— « La vérité » ! cria Blanchette. Depuis quand le théâtre dit-il la vérité ? Le théâtre n'est qu'un divertissement, et ton Molière qu'un bouffon. Il n'y a que les gens vulgaires qui aiment ses pièces !

— C'est faux ! s'insurgea Ariane.

— Tout le monde sait parfaitement que *L'École des femmes* n'était qu'une suite de sous-entendus grivois, de plaisanteries obscènes, de scènes de farce ! Je ne veux plus travailler pour ces gens vulgaires !

Blême de rage, Ariane tapa du poing sur le comptoir. Blanchette n'était qu'une vieille femme stupide, ignorante, et peureuse. Elle ne méritait pas de diriger cette boutique. Elle toisa sa patronne froidement, et répliqua :

— Ce n'était pas vulgaire, c'était une histoire d'amour. L'histoire d'une jeune fille qu'on a enfermée, tyrannisée, et qui se libère du joug que lui imposait la société ! Je ne vois rien d'obscène là-dedans !

L'École des femmes, songea Ariane, était même un exemple pour toutes les jeunes filles de Paris, à commencer par Élise et elle. Il était temps qu'elles cessent de subir les injustices de Blanchette !

Celle-ci, cependant, commençait à perdre son sang-froid ; ses arguments se transformaient en invectives, elle criait :

— Je n'aurais jamais dû te laisser travailler pour des comédiens. Il y a quand même une raison pour que ces gens-là soient excommuniés[1] ! Ce sont des menteurs, des faussaires, des hypocrites ! Dès aujourd'hui, je vais annoncer à cette prostituée de Béjart que tu ne feras pas sa robe !

— Madeleine n'est pas une prostituée ! s'insurgea Ariane.

Elle sentait qu'elle était en train de gagner. Les arguments de Blanchette étaient de plus en plus mesquins. Bientôt, elle allait s'incliner ; elle reconnaîtrait qu'Ariane avait raison, et que la boutique devait travailler pour Molière.

1. Les comédiens étaient exclus de l'Église catholique.

— Toutes les actrices sont des prostituées ! s'emportait cependant Blanchette. Elles séduisent les hommes lorsqu'elles sont sur scène et couchent avec le premier venu pour un peu d'argent ! Comment crois-tu qu'elles se paient ces robes luxueuses ? Et ton Molière ! Elles sont toutes passées dans son lit !

— Et dire que tu lui reproches sa vulgarité et ses sous-entendus grivois, se moqua Ariane.

C'était la provocation de trop. Blanchette, poussée à bout, gifla Ariane si fort que celle-ci vacilla. Des larmes de douleur envahirent ses yeux ; l'empreinte des doigts de Blanchette lui brûlait la joue.

Élise regarda sa mère, puis sa cousine, puis à nouveau sa mère. Une nouvelle fois, elle se trouvait en position d'arbitre. Blanchette la toisa, pleine d'autorité ; Ariane lui jeta un regard enflammé.

Élise détourna les yeux, et jaugea le livre de comptes. Il était épais comme jamais il ne l'avait été, alourdi par les commandes de la maîtresse du roi et des comédiennes de Molière.

— Je crois que nous n'avons pas le choix, soupira-t-elle.

Blanchette et Ariane la dévisageait avidement, sachant toutes deux que son opinion trancherait le débat. Élise ajouta :

— L'avenir, c'est le théâtre, c'est la Cour. Molière est de plus en plus influent ; nous ne pouvons pas l'abandonner.

Ariane et Élise échangèrent un regard de connivence, et, soudain, Blanchette se sentit vaincue. Vaincue par ces toutes jeunes filles débordantes d'idées et d'énergie et qui, mine de rien, étaient en train de reprendre la boutique. Elle considéra un instant sa fille et sa nièce, prêtes à tout risquer pour ce Molière, pour Versailles, pour quelques robes de plus, et elle soupira. Peut-être, au fond, qu'elles avaient raison. Peut-être était-ce grâce à ces comédiens que la boutique prospérerait. Refusant d'admettre qu'elles n'avaient peut-être pas tort, elle grommela :

— Faites comme il vous plaira !

Puis, toisant Ariane, elle ajouta avec une pointe de méchanceté :

— Mais ne venez pas vous plaindre si cet homme à la veste de laine noire vous retrouve !

10

Le décolleté de Madeleine

— Madeleine, ordonna Molière, dès que Tartuffe s'avance, tu t'approches.

Madeleine Béjart traversa la scène d'un pas vif. Ariane la regarda, ébahie : lorsqu'elle jouait ainsi les soubrettes, personne n'aurait pu deviner qu'elle n'avait pas loin de cinquante ans.

— Tu l'écoutes faire ses faux discours religieux d'un ton sceptique, même franchement moqueur. Tu sais, toi, qu'il n'adopte ce langage de dévotion que pour régner sur toute la maison !

À voir les grimaces de Madeleine, et les fausses démonstrations d'ardeur religieuse de Philibert Du Croisy, qui jouait Tartuffe, Ariane ne put retenir un petit rire. Les répétitions de Molière étaient tellement drôles !

Mais le comédien, très concentré, n'esquissa pas même un sourire. Sans quitter du regard la scène où se trouvaient Du Croisy et Madeleine, il ordonna :

— Ton texte, Philibert.

— *Ah ! mon Dieu, je vous prie,*

Avant que de parler prenez-moi ce mouchoir, s'exclama celui-ci en se couvrant les yeux avec la main, d'un geste exagéré.

— *Comment ?* demanda Madeleine.

— Plus stupéfaite ! Tu t'attends à tout, sauf à cette demande ! Pourquoi diable veut-il te donner un mouchoir ? interrompit Molière.

— *Comment ?* reprit-elle.

Philibert prit son air le plus grandiloquent, le plus emphatique, et répondit :

— *Couvrez ce sein que je ne saurais voir :*

Par de pareils objets les âmes sont blessées,

Et cela fait venir de coupables pensées.

Cette fois, Ariane et Jean Racine, qui était assis à son côté, éclatèrent franchement de rire. Du Croisy jouait tellement bien ! On aurait juré voir un curé offensé par le décolleté d'une de ses paroissiennes !

Tout en riant, Ariane prit mentalement note : il fallait que la robe de Madeleine fût un peu décolletée. Un peu, pour que Tartuffe, en devinant le sein, eût matière à s'offenser. Mais pas trop, pour que l'offense restât exagérée. Les dévots passaient leur temps à critiquer le moindre bout de peau qui dépassait ! À les en croire, il aurait fallu que les femmes se couvrent non seulement la gorge, mais aussi les mains, les bras… Et puis quoi encore ! Pourquoi pas le visage, pendant qu'on y était ?

— *Vous êtes donc bien tendre à la tentation*, répondit Madeleine.

Et la chair sur vos sens fait grande impression ?
Certes je ne sais pas quelle chaleur vous monte :
Mais à convoiter, moi, je ne suis point si prompte,
Et je vous verrois nu du haut jusques en bas,
Que toute votre peau ne me tenteroit pas.

Une nouvelle fois, tous les comédiens présents éclatèrent de rire, et Molière lui-même s'autorisa un sourire. Madeleine n'avait rien perdu de son mordant. Oh, elle ne jouait plus les amoureuses, les princesses ; mais elle avait certainement le rôle le plus drôle de la pièce. La servante maligne, qui mène la maison à la baguette, et voit tout de suite clair dans le jeu du faux dévot.

— C'était bien, commenta Molière. Madeleine, parfait, vraiment. Armande, très juste, aussi. Du Croisy, n'hésite pas à en faire plus. Il faut que cet imposteur soit ridicule, que le prétendu discours religieux qu'il assène soit une farce !

Les acteurs se levèrent. De toute évidence, la répétition était terminée. « Déjà ? » songea Ariane. L'après-midi était passé si vite !

— Le *Tartuffe* sera prêt pour Versailles, lança Molière. J'ai l'accord du roi pour jouer la pièce.

Un frisson de peur et d'excitation parcourut les comédiens. Ainsi, ils allaient le faire. Il allait ridiculiser les faux dévots – et peut-être même un peu les vrais – devant toute la Cour. Il ne faisait pas bon être l'ennemi de Molière. Épuisés, mais contents, ils quittèrent un à un le théâtre.

Lorsque Ariane sortit, elle fut surprise de constater que la nuit était déjà tombée. Un instant, elle songea à revenir sur ses pas, à demander à Racine de l'accompagner jusqu'à la boutique de Blanchette. Ils pourraient discuter, comme ils l'avaient fait la dernière fois ; et elle serait en sécurité. Mais elle se raisonna : il était peu probable qu'on l'attaque une nouvelle fois !

Cependant, au bout de quelques mètres, l'angoisse commença à l'étreindre. Il lui semblait entendre l'avertissement et les menaces de son agresseur résonner encore dans sa tête. Et s'il les mettait à exécution ? Et s'il l'avait vue sortir du théâtre, et la guettait ? Malgré quelques lanternes qui éclairaient vaguement les façades, l'obscurité avait envahi la place du Palais-Royal. N'importe qui aurait pu se dissimuler sous les arcades et la suivre dans le noir.

D'un pas rapide, Ariane se mit en route. Mieux valait ne pas traîner. Elle serrait, au creux de sa paume, une énorme paire de ciseaux qu'elle avait pris soin d'emmener avec elle. Ce n'était pas l'arme idéale, mais c'était mieux que rien. Elle passa la porte Saint-Honoré. Soudain, comme elle longeait les premières maisons de la ville, elle entendit des pas dans son dos.

Saisie de terreur, elle se retourna. Personne. La rue était déserte.

À peine rassurée, elle pressa le pas. Elle ne se souvenait que trop bien de Molière, le visage en sang, roué de coups, arrivant en retard pour *Le Mariage forcé*. Il lui semblait entendre encore des pas derrière elle ; des pas qui se rapprochaient… « Je m'invente des choses, essaya-t-elle de se rassurer. L'histoire de l'autre soir m'a effrayée, mais ces pas ne sont que le fruit de mon imagination. »

À présent, elle avait l'impression de distinguer une ombre sur la façade de l'église… N'y tenant plus, elle se retourna une nouvelle fois, les doigts serrés sur le manche des ciseaux. Il lui sembla apercevoir une silhouette sombre qui se glissait dans une ruelle. La panique commença à la gagner. La suivait-on ? Devait-elle appeler à l'aide ?

Elle marchait toujours, tenaillée par l'impression qu'on l'espionnait. Effrayée, elle tâta la pointe des ciseaux ; ils étaient coupants, ils pourraient presque faire office de poignard. Chaque coin de rue sombre lui semblait propice à un guet-apens ; à chaque instant, elle songeait : « Ça y est. C'est maintenant. Il va m'attaquer. » Mais que faire ?

« Je dois en avoir le cœur net », décida-t-elle. Elle se retourna. Personne. La rue était faiblement éclairée ; celui qui la suivait avait pu se dissimuler dans l'embrasure d'une porte. Résolue à découvrir si, oui ou non, on la suivait, Ariane revint sur ses pas. À chaque recoin, elle jetait un coup d'œil prudent.

Et soudain, elle le vit. Un homme était là, dissimulé au coin de la rue de Grenelle. Sa silhouette noire était presque noyée dans la nuit. Elle fit mine de passer devant lui sans le voir – comme si elle revenait simplement sur ses pas. Mais, au dernier moment, elle se retourna et lui donna, de toutes ses forces, un coup de pied dans la jambe droite.

Un gémissement étouffé se fit entendre. L'homme chancelait légèrement. Sans hésiter, elle se précipita sur lui. D'une bourrade, elle le repoussa contre la façade, et, d'un geste ferme, plaça la lame pointue de ses ciseaux contre son cou. Il esquissa un geste pour lui saisir la main – elle enfonça la lame dans la chair, exactement comme l'avait fait son agresseur de l'autre soir.

— Ne faites pas un geste, ordonna Ariane, d'une voix qu'elle aurait souhaité plus méchante ou plus ferme.

Elle commençait à réaliser à quel point l'homme qu'elle tenait en respect était plus grand et plus fort qu'elle. D'un geste, il pouvait la précipiter à terre, lui tordre le cou… heureusement, il ne bougeait pas.

« Que faire, maintenant ? » se demanda-t-elle, en

cherchant à distinguer dans le noir les traits de l'inconnu. Il ne portait pas de masque, remarqua-t-elle. Et, soudain, leurs yeux se croisèrent et Ariane demeura tétanisée.

Elle avait reconnu le comte de Vilez. C'était lui qui se trouvait face à elle, si proche, et qui lui jetait un regard bleu, vaguement amusé.

— Oh ! dit Ariane.

Lentement, elle baissa ses ciseaux ; à présent, elle se trouvait presque entre les bras du jeune homme. Elle aurait dû être rassurée, mais son cœur se mit à battre avec plus de véhémence.

— Que faites-vous ici ? murmura-t-elle finalement.

— Je me fais attaquer, apparemment, répondit-il avec un demi-sourire.

Ariane fronça les sourcils. Levant les yeux, elle essaya de déchiffrer son expression, en vain. À la lumière tremblante de la lanterne, le visage du comte ressemblait à un portrait en clair-obscur. Et au milieu de ce tableau en noir et blanc, de ce visage où semblaient s'affronter l'ombre et la lumière, scintillaient deux yeux d'un bleu presque trop violent.

— Sérieusement, insista-t-elle, presque fâchée.

Il lui jeta un regard bref, impénétrable, puis lança, comme une évidence :

— Mais je vous suivais, bien sûr.

— Vous me suiviez ? répéta Ariane sans comprendre.

— C'est cela, approuva-t-il, comme s'il n'y avait là rien qui ne fût parfaitement naturel.

Un instant, distraite par la main du comte, qui, presque caressante, s'était posée sur son poignet. Ariane ne trouva rien à répliquer. Puis l'incongru de la situation la frappa, et elle demanda :

— Mais pourquoi ?

Il la dévisagea un instant comme si elle avait perdu la raison.

— Pourquoi ? répéta-t-il. Dois-je vous rappeler que l'on vous a menacée de mort ?

À ce souvenir, un frisson s'empara de la jeune fille. Non, un tel rappel n'était pas nécessaire. Elle avait bien assez peur comme ça !

— Tout va bien ? s'inquiéta le comte, qui avait dû lire l'angoisse sur son visage.

Il posait à présent sur elle un regard attentif, vaguement inquiet. Ariane s'empressa de le rassurer :

— Tout est parfait, je vous assure, vous… vous pouvez me laisser.

— Ne me dites pas que vous avez peur, chuchota-t-il. Vous, la couturière qui a recousu les blessures de Molière, celle qui brave sa patronne, qui tient tête aux inconnus dans la rue…

Comment savait-il tout cela ? se demanda Ariane, incrédule. Il avait dû parler avec Madeleine. La questionner. À cette idée, un frisson de plaisir la parcourut.

Puis, tout à coup, elle revit le visage d'Élise, quelques jours plus tôt, lorsqu'il avait été question du jeune homme. Élise désapprouvait. Et elle avait raison. Rien n'aurait été plus stupide que de tomber amoureuse d'un noble. Se raidissant, Ariane demanda :

— Vous n'avez pas répondu à ma question. Pourquoi me suiviez-vous ? Ce ne sont pas vos affaires, après tout, si je me fais attaquer – ou pas.

— Je ne peux pas vous laisser rentrer seule dans la nuit. Vous êtes bien trop importante pour… pour la troupe.

Ariane esquissa un sourire, un peu amer. *Pour la troupe*. Bien entendu. Il aurait été idiot d'imaginer quoi que ce fût d'autre… d'imaginer que peut-être, le comte s'intéressait à elle autant qu'elle s'intéressait à lui. En soupirant, elle déclara :

— Eh bien, je vous remercie. Je suis presque arrivée, de toute façon.

— Oui, vous avez raison. Allons-y, répondit-il en lui tendant le bras.

Ariane le regarda, interloquée. De toute évidence, il comptait la raccompagner jusqu'à la boutique.

— Ne vous donnez pas cette peine, lui dit-elle. Je rentrerai seule.

Les yeux du comte furent soudain troublés par quelque chose qui ressemblait à une vague lueur d'étonnement, ou peut-être à de la déception, et il répondit :

— Oh ! Très bien.

Ariane esquissa un petit salut – vague compromis entre un geste d'adieu et une révérence – puis tourna les talons, le cœur oppressé. Bien sûr, elle aurait voulu qu'il la raccompagne. Le fait qu'il le propose, même pour les mauvaises raisons, lui faisait déjà tellement plaisir. Mais elle ne devait pas se laisser emporter. C'était un *comte*. Et elle, eh bien, elle n'était qu'une couturière.

Il le savait bien, du reste, et c'était très probablement la raison pour laquelle il l'avait suivie, mais suivie *en cachette*. Il voulait bien la protéger. Mais de loin. Jamais il n'irait se compromettre avec une fille de pauvres, une domestique. Ariane s'éloigna à pas lents, sans se retourner. Elle savait qu'elle avait raison de laisser le comte derrière elle ; pourtant, son cœur était écrasé de tristesse. En soupirant, elle se laissa happer par la nuit.

Antonin regardait Ariane qui s'éloignait doucement, et son cœur se serra. Pourquoi l'avait-il suivie ? Il se morigéna : il *devait* cesser de penser à la jeune fille. Il n'avait tout simplement pas le droit de tomber amoureux – encore moins amoureux d'une couturière. Et de la couturière de Molière, pour ne rien arranger. Il ne pouvait pas se le permettre.

Pourtant, malgré lui, il sentait encore la chaleur du corps d'Ariane entre ses bras, et cela lui causait une douleur presque physique. « Non, se réprimanda-t-il. C'est mal. Ces sensations sont diaboliques. » Il avait fait une erreur, en la suivant. Chaque fois qu'il lui parlait, chaque fois qu'il la touchait, il devenait un peu plus difficile de l'oublier, de l'ignorer. Pourtant, c'est ce qu'il devait faire. Une couturière, pour l'amour de Dieu !

Prenant son courage à deux mains, il regarda la silhouette de la jeune fille s'enfoncer dans les ténèbres. Et, soudain, la panique le saisit. Elle n'habitait pas loin, bien sûr, mais qui sait si quelqu'un ne l'attendait pas près de la boutique de sa tante ? Un instant, Antonin tenta de se raisonner : elle ne risquait rien. Mais, bientôt, l'angoisse fut la plus forte.

Alors, à pas feutrés, il reprit sa filature. Il vérifiait juste qu'elle rentrait bien chez elle. Après tout, cela ne pouvait faire de mal à personne. Il le faisait par charité. Par compassion. À la suite d'Ariane, lentement, Antonin de Vilez s'enfonça dans la nuit.

11

Deux fils de laine noir

Ariane entra dans la pièce sur la pointe des pieds. La chambre était plongée dans l'obscurité ; seul, un faible rayon de lune passait par la lucarne. Surtout, il fallait éviter de réveiller Élise. Il était si tard ! Le lendemain, comme tous les jours, les deux filles devraient se lever avec les premières lueurs de l'aube ; pour elles, chaque minute de sommeil était précieuse.

Ariane s'allongea en silence aux côtés de sa cousine ; son cœur battait encore la chamade. Le comte de Vilez était tellement étrange ! Soudain, la voix d'Élise s'éleva dans le noir :

— Ariane ? souffla-t-elle.

Ainsi sa cousine ne dormait pas.

— Qu'y a-t-il ?

— La veste, murmura Élise.

Quelle veste ? De quoi parlait-elle ? Un instant, Ariane songea que sa cousine divaguait dans son sommeil. Mais non : ses yeux étaient grands ouverts. Élise était bien éveillée.

— Quelle veste ? demanda-t-elle.

— Tout à l'heure, un homme est venu à la boutique, pour se renseigner sur le prix de nos robes. Il portait une veste noire, une veste de laine.

Ariane, étourdie de fatigue, ne comprenait pas où Élise voulait en venir, ni pourquoi sa voix frémissait ainsi d'excitation. Cependant sa cousine conclut :

— Sa manche était déchirée ! Oh, Ariane, je suis persuadée que c'était ton agresseur de l'autre soir !

Ariane sursauta. Le fil de laine noir ! Elle l'avait presque oublié.

— Tu en es sûre ? s'exclama-t-elle.

— Je lui ai proposé de réparer sa manche, répondit-elle. J'en ai profité pour arracher un bout de laine. Où est le tien ? Comparons-les.

Les deux cousines s'assirent dans le lit, en proie à une intense excitation. Et si elles avaient retrouvé l'agresseur d'Ariane, l'ennemi de Molière ? Vite, Ariane détacha le fil qu'elle avait noué à l'intérieur de sa robe. Élise tenait, elle aussi, son bout de laine. Elles rapprochèrent leurs deux mains, jusqu'à ce que les deux morceaux fussent côte à côte.

Malgré l'obscurité, Ariane eut la conviction que les deux fils provenaient de la même veste. C'était la même laine un peu rugueuse, vaguement délavée. Sa respiration s'accéléra. Elle le tenait !

— T'a-t-il dit son nom ?

— Je le lui ai demandé, mine de rien, répondit Élise. Un certain Raymond Poisson.

— De quoi avait-il l'air ?

— Un bourgeois, plutôt aisé.

Les deux cousines échangèrent un regard, les yeux brillants d'enthousiasme. Elles le tenaient !

— Tu as une adresse ? demanda encore Ariane, pleine d'espoir.

— Non, malheureusement, répondit Élise. Maman est arrivée au moment où je terminais la manche et m'a passé un de ses savons ! Tu sais que les couturières n'ont pas le droit de s'occuper de vêtements d'homme.

Bien sûr, Ariane, ne l'ignorait pas. La corporation des tailleurs menaient la vie dure aux femmes qui voulaient se faire couturières ! Cela lui compliquait la tâche. Comment retrouver l'homme ? Paris était une si grande ville ! Elle ne pouvait quand même pas questionner un à un les quatre cent mille habitants de la capitale. Quant à aller voir la police, c'était probablement inutile. Ils avaient autre chose à faire que de s'occuper de vestes déchirées !

Ariane avait beau tourner et retourner le problème dans sa tête, elle ne savait que faire. Parler à Molière ? À Racine ? Et, soudain, comme elle examinait les différentes possibilités, sa tête se fit lourde sur l'oreiller ; sans crier gare, elle s'assoupit.

Le lendemain matin, Ariane dirigea ses pas vers la rue Saint-Thomas-du-Louvre. À Blanchette qui la regardait sortir d'un air suspicieux, elle avait parlé de mesures à prendre et de dessins à montrer. Quoique à peine convaincue, sa tante l'avait laissée partir ; désormais, elle semblait avoir renoncé à affronter Ariane.

Il n'y avait qu'une chose à faire, la jeune couturière en était à présent convaincue : consulter Molière. Lui saurait comment retrouver ce M. Poisson ; après tout, l'homme à la veste était leur ennemi commun. Un peu intimidée à l'idée de s'entretenir avec le célèbre comédien, Ariane descendit d'un pas rapide la rue Saint-Honoré, et traversa la place du Palais-Royal.

Molière et Armande louaient le deuxième étage d'une maison flambant neuve, dont les fenêtres donnaient presque directement sur le théâtre. En montant les marches, la jeune fille fut surprise par l'agitation qui régnait dans le logis. Des éclats de voix parvenaient de l'étage supérieur ; les domestiques allaient et venaient dans l'escalier. Que s'était-il passé ? Était-il arrivé quelque chose à Molière ?

Lorsque Ariane poussa la porte du deuxième étage, elle constata avec stupéfaction que la troupe, presque au complet, était rassemblée dans le salon. Les comédiens faisaient les cent pas, chuchotaient furieusement... Il se passait quelque chose, c'était évident. Pourtant, Ariane eut beau questionner les uns et les autres, nul ne fut en mesure de lui dire ce qui s'était produit. Personne ne savait pourquoi Molière les avait fait venir.

Soudain, Molière apparut dans l'embrasure de la porte. Tous les comédiens s'approchèrent. Il était pâle, comme un homme qui vient d'apprendre une terrible nouvelle. À son côté se tenait le jeune Racine.

— Jean vient de m'apprendre qu'il se lit des extraits du *Tartuffe* dans tous les salons de Paris.

Les comédiens se regardèrent, interloqués. S'agissait-il d'une manœuvre publicitaire ? Vu la consternation et la colère peintes sur le visage de Molière, on pouvait en douter.

— On ne parle que de ça, dans tous les salons, expliqua Racine. Les morceaux les plus provoquants de la pièce circulent partout, nul ne sait d'où ils viennent.

— Cela peut faire venir du public, tenta de se rassurer La Grange.

Molière eut un sourire amer :

— Sortis de leur contexte, ces extraits s'apparentent à des blasphèmes, ni plus, ni moins. On ne s'y serait pas pris autrement si on avait voulu alerter la censure et la forcer à agir.

Les comédiens étaient consternés. Tous regardaient Molière, attendant qu'il leur indique la marche à suivre, le plan de bataille. Mais celui-ci, étrangement, demeurait silencieux.

— Mais c'est impossible ! pesta Madeleine. Comment ont-ils pu récupérer le texte ? Aucun d'entre nous n'a un manuscrit complet, et nous y avons tous fait attention…

— Quelqu'un a égaré son texte, peut-être ? suggéra Charles La Grange à la cantonade.

Les comédiens firent « non » de la tête, surpris qu'on leur pose même la question. Aucun d'entre eux n'ignorait les pressions qui pesaient sur la troupe, et les risques qu'ils couraient tous. Ils n'auraient pas mis en péril l'avenir du théâtre du Palais-Royal simplement par inattention.

Molière haussa les épaules, en signe d'impuissance. Il était le premier dépassé par la capacité à nuire de leurs ennemis. Comment, où diable s'étaient-ils procurés le manuscrit ?

— Qu'allons-nous faire, Jean-Baptiste ? demanda La Grange.

— Je ne sais pas ! s'emporta celui-ci. Je n'ai pas réponse à tout ! Je ne peux pas résoudre tous les problèmes !

Les comédiens, pétrifiés par ce soudain accès de colère, parurent retenir leur souffle pendant quelques secondes. Molière semblait vraiment à bout de forces.

— Il travaille trop, souffla Madeleine à Armande. Il ne tiendra jamais jusqu'au mois de mai.

— Qu'est-ce que j'y peux, moi ? s'énerva Armande.

Madeleine haussa les épaules ; le moment n'était pas bien choisi pour entamer une querelle. D'un geste, elle fit signe aux acteurs de se retirer, de laisser Molière en paix. Tout en s'éloignant, ils murmuraient :

— Croyez-vous que le *Tartuffe* va être interdit ?

— Le roi semblait favorable à la pièce, mais si tout Paris la qualifie d'impie, il peut changer d'avis...

Ariane, cependant, s'approcha de Molière et Racine. Timidement, elle demanda :

— Monsieur Molière ?

Lorsqu'il baissa les yeux sur elle et que leurs regards se croisèrent, elle s'aperçut que Madeleine avait dit vrai. Molière était à bout de forces. L'organisation des fêtes royales, les répétitions du *Tartuffe* l'occupaient nuits et jours. Il ne devait plus guère avoir le temps de dormir. Ce fut avec lassitude, mais sans brusquerie, qu'il répondit à Ariane :

— Que veux-tu ?

La jeune fille sortit le fil de laine noire qu'elle avait arraché à la veste de son agresseur.

— Je préférerais m'occuper des costumes un peu plus tard, soupira Molière.

Puis il ajouta, amer :

— Qui sait ? Il ne sera peut-être même pas nécessaire de faire des costumes pour le *Tartuffe* !

— Ce n'est pas ça ! bafouilla rapidement Ariane. Je crois que j'ai retrouvé la trace de l'inconnu qui m'a agressée l'autre soir.

Cette fois, Molière et Racine se mirent à l'écouter avec attention. Ariane se sentit rougir : Molière avait beau apprécier son travail, c'était la première fois qu'il lui manifestait autant d'intérêt ! Brièvement, la jeune fille résuma l'histoire de la veste. Lorsqu'elle eut terminé, Molière sourit :

— Eh bien ! Quelles découvertes, Ariane ! Alors ? Comment s'appelle cet homme ?

— Raymond Poisson.

De toute évidence, pour Racine comme pour Molière, le nom n'était pas inconnu.

— Belleroche ! s'exclama Jean, manifestement stupéfait.

— L'Hôtel de Bourgogne ! renchérit Molière, tout aussi ébahi. Et dire que je craignais les dévots !

Ariane les écoutait sans comprendre.

— Jean, décida finalement Molière, va le trouver. Menace-le de prévenir la police, le roi, s'ils ne cessent pas.

Racine acquiesça ; en deux bonds, il fut près de la porte. Ariane s'apprêtait à prendre congé quand Jean, qui était déjà en train de dégringoler les escaliers, l'appela :

— Ariane ! Tu m'accompagnes !

Immédiatement, la jeune fille se dirigea à son tour vers la sortie. Ils allaient confondre le coupable ! Enfin ! Parvenue à la porte, pourtant, Ariane ne put s'empêcher de se retourner. Le spectacle qu'elle vit lui brisa le cœur. Molière, épuisé, s'était laissé tomber dans un fauteuil. Ariane voyait ses bras trembler ; il semblait prêt à défaillir. Allait-il se sentir mal ?

Voyant qu'elle le regardait, le comédien la houspilla :

— Dépêche-toi !

Sa voix trahissait l'exaspération et la lassitude qui l'avaient envahi. Il avait besoin d'être seul. Sans demander son reste, Ariane s'engouffra à son tour dans l'escalier.

Comme elle suivait Racine, qui passait devant l'église Saint-Eustache, Ariane entendit que l'on sonnait la tierce.

« Déjà neuf heures ! » songea-t-elle.

Elle s'efforça de ne pas penser à tout le travail qui l'attendait à la boutique, aux dizaines de robes que lui avait commandées la troupe. Ils allaient arrêter son agresseur ! Bon, peut-être pas exactement *l'arrêter*, mais, au moins, l'empêcher de nuire. Lui faire savoir qu'il était démasqué, et que ses méfaits ne resteraient pas longtemps impunis.

Une seule chose froissait encore Ariane : elle suivait Racine depuis plus de dix minutes à présent, à travers les rues de Paris, et il ne lui avait toujours rien expliqué. N'y tenant plus, elle finit par le questionner, tandis qu'ils longeaient la halle au blé :

— Qu'est-ce que c'est, l'Hôtel de Bourgogne ? Une auberge ?

Racine la regarda, ébahi. De toute évidence, il n'avait même pas *imaginé* qu'Ariane pût ignorer ce qu'était l'Hôtel de Bourgogne.

— Pas du tout ! s'insurgea-t-il, comme si la jeune couturière venait de proférer un sacrilège. C'est le plus grand théâtre de Paris, et Poisson est comédien et auteur là-bas ; son nom de scène est Belleroche.

Un instant, Ariane crut à une plaisanterie. Bien sûr, elle savait qu'il y avait à Paris d'autres comédiens que Molière, mais l'idée qu'il pût y en avoir de plus célèbres ne l'avait même pas effleurée. Après tout, Molière jouait devant le roi. La jeune fille jeta à Racine un regard suspicieux.

— Tu n'as jamais entendu parler de l'Hôtel de Bourgogne ? s'étonna-t-il. Mais ce théâtre rassemble les meilleurs tragédiens de Paris !

— Pas aussi connus que Molière, quand même ? demanda-t-elle, incrédule.

— Mais si ! Leur théâtre est bien plus ancien ; autrefois, c'était même le seul théâtre de Paris. Et ils sont en guerre ouverte contre Molière : depuis qu'il est arrivé à Paris, il fait tout son possible pour leur voler des spectateurs !

— Enfin, Molière est meilleur, décréta Ariane, loyale et obstinée.

Racine la regarda en souriant, et précisa :

— Molière est meilleur pour la comédie. Mais, soyons francs : sa troupe ne sait pas vraiment jouer la tragédie !

Ariane le dévisagea, choquée par ce qu'elle considérait presque comme une trahison. Racine ne parut pas s'apercevoir de sa réaction :

— Bon ! Allons trouver ce Belleroche, dit-il, et montrons-lui de quel bois se chauffe Molière, tout farceur qu'il est !

12

La veste noire de M. Poisson

— L'Hôtel de Bourgogne, souffla Racine à l'oreille d'Ariane.

Le bâtiment était imposant. Et dire qu'il se trouvait à moins de deux minutes de la boutique de Blanchette, et qu'elle n'avait jamais su qu'il existait ! Racine poussa la porte du théâtre, avec un air si décidé que nul ne leur posa de questions.

Parvenue dans la salle, Ariane jeta un coup d'œil attentif aux loges et à la scène. Ainsi, c'était là le repaire des ennemis de Molière. Quelque part dans cette pièce, peut-être derrière les châssis richement peints qui composaient le décor, se trouvait son agresseur. Elle posa un regard suspicieux sur les comédiens qui répétaient sur scène : n'étaient-ils pas mêlés à son agression ? Soudain, son cœur s'arrêta de battre. Elle se tenait face au costume le plus somptueux qu'il lui avait jamais été donné de voir.

— Pas mal, ces costumes, non ? lui souffla Racine.

Et, voyant qu'Ariane approuvait avec ferveur, il souffla encore :

— Ah, c'est ça, la tragédie. C'est ce qu'il y a de plus magnifique ! Des histoires de rois, de princes, situées dans des lieux reculés et à des époques révolues... De grands sentiments, des vers mélodieux !

« Ce serait bien de pouvoir faire des costumes de tragédie, songea Ariane. Je me demande qui fabrique les costumes de cette troupe. » La question lui avait à peine effleuré l'esprit qu'elle se morigéna : elle n'allait quand même pas travailler pour les concurrents de Molière ! Pour ceux qui, quelques jours plus tôt, lui avait glissé un poignard sous la gorge !

Un peu à regret, elle s'arracha à la contemplation du décor, et suivit Racine, qui avait repéré Belleroche.

— Il est là ! chuchota-t-il à Ariane, en pointant du doigt un comédien assis à l'intérieur d'une loge, dans les hauteurs du théâtre.

Ils montèrent. Ariane considéra l'homme : dans le noir, il lui avait paru tellement plus dangereux, plus menaçant ! Mais c'était un comédien : il devait savoir impressionner son public.

— Monsieur Poisson, le salua Racine, en ôtant son chapeau d'un geste ample.

Cette marque de courtoisie choqua la jeune fille,

qui estimait que son agresseur n'en méritait pas tant. Mais Racine poursuivit sur le même ton agréable, mondain :

— Je me nomme Jean Racine, se présenta-t-il. Je suis auteur. Un confrère, en quelque sorte.

— Jamais entendu parlé de vous, grommela le comédien.

« Et toc », songea Ariane qui, aux côtés de Racine, trépignait d'impatience. Que signifiait ce bavardage ? Était-il venu ici pour chanter ses propres louanges ou pour en venir au fait ? Sans attendre, elle interrompit son ami, assénant à Belleroche un discours passionné :

— Nous venons de la part de Molière, déclara-t-elle. Peut-être ne me reconnaissez-vous pas : je suis la jeune fille que vous avez attaquée, l'autre soir. Molière vous fait dire que, si vous recommencez, nous irons trouver le roi !

L'homme les dévisagea, l'air abasourdi. On aurait dit qu'il ne comprenait pas un mot de ce que voulait dire Ariane. Quel comédien ! Quel hypocrite ! Comme si, en une semaine, il avait pu l'oublier ! Elle insista :

— Vos menaces ne servent à rien ! Je ferai les costumes de Molière, et il jouera sa pièce devant la Cour !

L'homme la dévisagea, puis dévisagea Racine. L'ébahissement était si marqué sur son visage qu'Ariane fut soudain saisie d'un doute : et si elle s'était trompée ? Si cet homme n'était pas celui qui l'avait attaquée ? À son tour, Belleroche finit par s'emporter :

— Je ne comprends pas un mot de votre charabia !

Quelles menaces ? Et qui êtes-vous ? Vous prétendez que je vous ai attaquée ? C'est ridicule, voyons !

« Et si Élise s'était trompée ? songea Ariane. Peut-être que cet homme est innocent. »

Elle cessa de parler, et l'observa de plus près, cherchant à l'identifier avec certitude. Mais comment reconnaître son agresseur ? Il était masqué, et il faisait nuit ! Elle allait se tourner vers Racine, avouer ses doutes, lorsqu'une femme, probablement une lingère, s'approcha de Belleroche, un vêtement à la main.

— Votre veste. Nous l'avons lavée ce matin. Elle est comme neuve.

À la vue du vêtement, Ariane sentit que le souffle lui manquait. Sans aucun doute, c'était la veste. La veste de son agresseur. La veste qu'elle avait agrippée, et déchirée. Elle reconnaissait le tissu rugueux, et la manche paraissait fraîchement recousue. Vivement, elle sortit de sa robe le fil de laine noir : il n'y avait pas d'hésitation à avoir, c'était bien le même vêtement !

Et dire, songea-t-elle avec colère, que ce M. Poisson avait bien failli la convaincre de son innocence ! Décidément, il fallait se méfier des comédiens ; ces gens-là étaient des menteurs professionnels !

— Cessez de prétendre le contraire, s'énerva Ariane. Je reconnais la veste. C'est vous qui m'avez attaquée !

Puis elle ajouta, en tendant à Racine le fil de laine noir :

— Je ne suis pas folle, c'est bien le même ! Et regarde, sa manche a été recousue !

Racine considéra le comédien avec un froncement de sourcils.

— Il me paraissait possible de régler cette affaire entre gens courtois, déclara Racine.

Puis il ajouta :

— Je pensais qu'un comédien si talentueux, si respecté, n'aurait pas souhaité voir sa carrière ternie par un scandale…

La voix de Racine était devenue dure, presque métallique, et Ariane songea qu'elle n'aurait pas aimé l'avoir pour ennemi. C'était probablement ce que pensait aussi Belleroche, puisqu'il commença à bafouiller :

— Mais à la fin, que voulez-vous dire ! Molière, mademoiselle, la pièce, la veste ! Quelle veste, d'abord ?

— Celle-ci, répondit Ariane, en pointant du doigt le vêtement en question.

— Ma veste ? s'étonna-t-il.

— Votre veste, répliqua Ariane sans se laisser démonter. Elle a, vous ne pouvez le nier, un accroc à la manche.

— Je le sais bien, répliqua le comédien. C'est ce qui m'a permis de l'acheter pour trois fois rien ! Quelle affaire ! Je n'en reviens toujours pas.

Belleroche releva la tête, aussi surpris par le silence soudain des deux jeunes gens qu'il l'avait été par leurs virulentes accusations.

— Quand l'avez-vous achetée ? demanda lentement Racine.

Ariane, elle, était momentanément sans voix. Mentait-il encore ? Essayait-il de les duper ?

— Hier, répondit le comédien, sur le ton de l'innocent, qui décidément, n'y comprend rien. Aux Halles, à un fripier.

Ariane et Racine échangèrent un regard. La chose n'était pas impossible ; l'agresseur avait très bien pu souhaiter se débarrasser d'un vêtement compromettant...

— Quel fripier ? demanda Ariane.

— Jouvet, sous les piliers...

— Combien l'avez-vous payée ?

— Vingt sols. Une affaire, je vous dis.

Le fripier, Ariane le connaissait. Le prix était plausible. Mais peut-être Belleroche n'était-il qu'un très bon menteur.

— Nous allons questionner Jouvet, déclara-t-elle d'un ton décidé. Si vraiment vous nous avez dit la vérité, il confirmera votre histoire !

Belleroche esquissa un geste qui signifiait probablement : à votre guise. Encore une fois, il avait adopté le visage perplexe mais poli de l'homme honnête qui ne comprend pas un mot aux accusations portées contre lui. Jouait-il la comédie ou était-il sincère ? C'était ce qu'Ariane était bien décidée à découvrir.

Elle sortit du théâtre avec précipitation.

Puis elle revint sur ses pas : Racine ne l'avait pas

suivie. Et pour cause : il était en pleine conversation avec un comédien bedonnant, au double menton prononcé.

— Oui, une tragédie, *La Thébaïde*, était-il justement en train d'expliquer. Toute la légende thébaine : Jocaste, Antigone, ses frères…

— Louable intention que d'écrire de la tragédie, jeune homme. De nos jours, le public n'a plus de goût que pour les ouvrages vulgaires, les comédies !

Ariane, agacée, fit signe à Racine de se dépêcher. Celui-là, dès qu'il s'agissait de parler de ses pièces, on ne l'arrêtait plus !

Il ne leur fallut que quelques minutes pour arriver aux Halles. En passant au carrefour Guillery, ils s'achetèrent un morceau de pain – après tout, il était presque l'heure de déjeuner ; puis ils poursuivirent leur chemin jusqu'à la galerie des fripiers. C'était un jour de marché, et la cohue qui y régnait était indescriptible. Comme à chaque fois qu'elle passait ici, Ariane ouvrit des yeux émerveillés : c'était sans doute l'endroit de Paris où il y avait le plus de vêtements. On eût dit une caverne au trésor. Tous les fripiers qui avaient leur boutique derrière les piliers de pierre de taille sortaient leurs marchandises dans la rue ; vêtements et meubles d'occasion s'entassaient sur la chaussée. Partout, c'était des cris, des offres tentantes :

— Bon manteau de campagne ! criait l'un.

— Beau justaucorps ! haranguait l'autre.

Ariane passa d'un pas vif au milieu des étals et des habits empilés. Elle n'était pas là pour regarder, et encore moins pour faire des achats. Pourtant, les prix étaient si alléchants ! Ces pièces exiguës, sombres et débordantes de marchandises étaient le contraire exact de la boutique de Blanchette, lumineuse, immense, mais où les robes étaient tellement chères.

Enfin, elle aperçut l'enseigne de Jouvet. La femme du fripier interpellait les passants, au milieu de vêtements en tous genres. C'était des pourpoints, des robes, des vestes usées qu'on avait rachetées à leurs propriétaires. Tout l'art des fripiers était de les raccommoder, de leur donner l'air neuf.

Racine et Ariane s'approchèrent de la vendeuse ; avant qu'ils aient pu articuler un mot, celle-ci les apostrophait :

— Des chemises blanches, neuves, oui mademoiselle, comme neuves ! Et ce pourpoint de velours, monsieur !

— Nous voulons, commença Ariane…

Déjà, la vendeuse l'avait attrapée par le bras, et l'attirait à l'intérieur de l'étroite boutique. Le petit comptoir en bois y était littéralement noyé sous un amas de vêtements de toutes les couleurs, de toutes les tailles et de toutes les formes.

— Cette jupe, mademoiselle ! Cette jupe ! Soie de première qualité, soie de Lyon !

— C'est de la mauvaise soie, de la soie grège, répliqua Ariane d'un ton tranquille, après avoir jeté un rapide coup d'œil au vêtement. Le tissu n'est pas lisse, elle a mal pris la teinture, et elle est rêche au toucher.

Cette réponse eut, enfin, pour résultat de faire taire la vendeuse qui dévisagea Ariane d'un air courroucé. Les fripiers n'aimaient rien tant que les clients crédules, prêts à payer le vieux presque au prix du neuf, que l'on convainquait sans peine qu'ils faisaient des affaires lorsque au contraire on les roulait dans la farine !

— Que voulez-vous ? demanda la femme, d'un ton cassant.

De toute évidence, ces deux-là n'étaient pas ici pour acheter. Avaient-ils l'intention de critiquer la marchandise devant les autres clients ? Avaient-ils été envoyés par un concurrent ?

— Avez-vous réparé une veste de laine noire, un peu grossière, déchirée à la manche droite, il y a quelques jours ?

La femme haussa les épaules :

— Vous savez, les vêtements, on en voit tellement !

— C'est bien vrai, répliqua Ariane d'un ton conciliant.

Puis, haussant le ton, elle ajouta :

— Et puis, on ne peut pas dire qu'ici, le travail de réparation soit soigné.

— Taisez-vous donc ! l'interrompit la femme. Ce n'est pas moi qui m'occupe de la couture, c'est mon mari et ses ouvriers, souffla-t-elle d'un ton méchant.

— Je veux leur parler, répondit posément Ariane.

La femme soupira. Elle cria :

— Louis ! Viens donc ici une minute.

Un jeune homme d'une vingtaine d'années, un ouvrier probablement, émergea du fond de la boutique. De mauvaise grâce, la femme lui expliqua :

— Cette fille cherche une veste de laine noire, déchirée à la manche. Elle prétend qu'on l'a recousue, il y a quelques jours.

Ariane, un peu découragée, s'attendait vaguement à des dénégations, à un « je ne me souviens plus », ou à un « des vestes, il en passe tant... » Mais, au lieu de cela, le jeune homme se mit à hocher la tête :

— Oui, c'est même moi qui m'en suis occupé. Une veste sans grand intérêt, plutôt quelconque. Mais nous l'avons revendue... à un comédien, je crois.

Racine et Ariane échangèrent un regard entendu. Ainsi donc, Belleroche avait dit vrai. Ce n'était pas lui qui avait attaqué Ariane : il s'était contenté de racheter la veste. L'ouvrier venait de l'innocenter ; mais, en même temps, il avait réduit à néant leur seule piste sérieuse. Le fil de laine noire qu'Ariane conservait par-devers elle depuis plusieurs jours ne lui permettrait pas de démêler l'intrigue.

Déçue, Ariane souffla à Racine :

— C'est rageant ! Il est vraiment trop rusé ; il s'est débarrassé de la veste avant d'être confondu.

— Peut-être vous souvenez-vous de celui qui vous l'a vendue ? suggéra Jean à l'ouvrier.

— Les vêtements empruntent souvent des chemins détournés avant de nous parvenir.

— Et quand l'avez-vous reçue ? insista Ariane.

Après tout, la veste n'avait quand même pas pu passer dans des centaines de mains en quelques jours à peine. Et puis, Ariane redoutait plus que tout de revenir chez Molière et d'avoir à confesser l'échec de sa mission.

— Vendredi, je crois.

Il s'arrêta un instant pour réfléchir, compta les jours sur ses doigts, puis confirma :

— Vendredi, oui ; je m'en souviens : c'était le même jour que les vêtements de la famille du marquis de Laval.

— Laval ?

— Une famille d'aristocrates qui nous a cédé pas mal de costumes usés...

— La veste n'en faisait pas partie ?

Louis hésita un instant :

— Je ne pense pas. Jamais un noble n'aurait porté une veste aussi négligée.

En soupirant, Jean et Ariane sortirent de la boutique. De toute évidence, ils n'apprendraient rien de plus ici. Le dépit s'empara d'Ariane.

— Je retourne chez Molière, soupira Racine.

— Je vais rentrer à la boutique, répondit-elle.

Pendant presque une minute, ni l'un ni l'autre ne bougèrent. La déception était trop forte. Ils échangèrent un long regard navré, puis Racine tourna les talons et s'éloigna en direction du Palais-Royal. Ariane soupira. Elle n'osait imaginer le découragement de Molière lorsqu'il apprendrait que ses ennemis, finalement, n'avaient pas été démasqués. Et dire que le *Tartuffe* circulait dans Paris, allait peut-être être interdit, et que les responsables demeuraient introuvables !

Elle avait honte d'avoir fait miroiter de faux espoirs à Molière. Elle jeta un coup d'œil distrait au fil de laine noire qui reposait, inutile, dans sa paume. Il ne l'avait pas guidée bien loin.

Il était temps de rentrer à la boutique. Pourtant, Ariane demeurait debout, seule, dans l'allée des fripiers, sans même faire attention aux empilements de vêtements. Il y avait quelque chose d'étrange. Quelque chose – elle n'aurait su dire quoi – lui mettait la puce à l'oreille, lui disait qu'elle ne *pouvait pas* rentrer chez Blanchette.

Lentement, elle repassa dans sa tête la conversation avec Louis. La veste déchirée… vendue à un comédien… Arrivée le vendredi… Le marquis de Laval… Et soudain, elle tressaillit. Le marquis de Laval. Ce nom, elle ignorait pourquoi, lui était familier. Où l'avait-elle déjà entendu ?

Comme elle allait rentrer à la boutique, Ariane se prit à songer : et si elle faisait un petit crochet, très bref, chez les Laval ? Ce nom familier n'était sûrement qu'une coïncidence – un client de Blanchette, un noble sur lequel courait une rumeur – mais cela valait la peine de vérifier. Et si elle décidait d'épuiser la dernière piste pour être sûre, vraiment sûre, d'avoir fait tout ce qui était possible ?

Elle fit demi-tour, et demanda à Louis de lui indiquer l'adresse des Laval. Se rendre chez eux ; oui, c'était la seule chose à faire. Puisque tous les autres indices étaient épuisés, puisque toutes les autres pistes ne menaient à rien, celle-ci, si faible, si ridicule avait au moins le mérite d'exister.

Et, avec la ténacité qu'elle mettait souvent à s'accrocher à ses rêves, Ariane agrippa le petit bout de laine noire, sa dernière piste, son dernier espoir.

13

Les fripes du marquis de Laval

Ariane pénétra discrètement dans l'hôtel des Laval, son panier sur le dos. Si quelqu'un lui posait des questions, elle prétendrait qu'elle venait de la part du fripier. Elle savait que ce n'était probablement qu'une fausse piste ; pourtant, tout au fond, elle ne pouvait s'empêcher d'espérer.

N'était-il pas trop tard pour arrêter les ennemis de Molière ? Les extraits du *Tartuffe* ne couraient-ils pas dans Paris, la polémique n'était-elle pas en train d'enfler ? Cette visite chez les Laval, presque sûrement innocents, était, Ariane en avait conscience, son dernier recours.

— Les vêtements pour les fripiers ? demanda la

première personne qu'elle interrogea, une fille de cuisine. Je ne sais pas, moi, demandez aux chambrières.

Les chambrières la renvoyèrent aux lingères, et les lingères aux valets. Lorsque enfin Ariane trouva un valet, deux heures s'étaient écoulées depuis son entrée dans la demeure, qu'elle avait parcourue de long en large, des cuisines aux chambres et des chambres aux communs. Tout, chez le marquis de Laval, avait l'apparence somptueuse d'un hôtel particulier de la noblesse.

— Vous voulez acheter nos vieux vêtements ? s'étonna le valet. Je suis navré, mademoiselle, mais nous les avons portés chez un fripier il y a deux jours ; mon maître n'a plus rien dont il souhaite se débarrasser.

Cela, bien sûr, Ariane le savait. Mais, pour endormir la méfiance du valet, elle s'était présentée comme l'employée d'un fripier, cherchant à racheter les vieux vêtements du marquis. Elle fit mine d'être très déçue :

— Oh ! Il devait y avoir plein de belles choses.

Puis elle ajouta, mine de rien :

— Vous les avez sans doute portés vous-même. Peut-être la prochaine fois pourriez-vous me prévenir avant ?

— À vrai dire, non, cette fois-ci je ne m'en suis pas chargé personnellement, répliqua le valet d'un air pincé. Planchin, l'homme à tout faire de monsieur le marquis, a insisté pour y aller.

Cet empiétement sur ses prérogatives semblait choquer le brave valet. Sans doute celui qui se rendait chez le fripier recevait-il une commission de la part de la boutique qu'il choisissait.

— Comment se fait-il ?

Ariane prit un air concerné. Au fond, elle se moquait bien des querelles de domestiques qui agitaient invariablement les grandes maisons de Paris, où le personnel était si nombreux.

— Monsieur le marquis a insisté pour que Planchin soit chargé de la commission.

« C'est donc à ce Planchin que je dois parler », soupira intérieurement Ariane. En espérant qu'il ne l'envoie pas parler à une chambrière, qui elle-même la renverrait vers quelqu'un d'autre encore.

— Planchin n'est pas ici, il est à l'étage, précisa encore le valet.

Ariane s'éloigna. Elle hésitait. Devait-elle aller questionner Planchin ? La chose lui paraîtrait probablement étrange. D'ailleurs, mieux valait peut-être ne pas traîner ici : les valets et les servantes qu'elle croisait dans les couloirs finissaient par lui jeter des coups d'œil intrigués. Mais, soudain, le souvenir du visage défait de Molière, le matin même, s'imposa à elle, et elle reprit sa route. Molière valait bien ce dernier effort. Et si Planchin avait porté les vêtements chez le fripier, il avait pu remarquer la veste.

Elle emprunta un petit escalier de service qui menait à l'étage. Elle n'était sans doute pas censée monter, mais, après tout, elle pourrait toujours prétendre être venue prendre des mesures pour une robe. L'escalier serpentait à l'intérieur de la cloison, et, détail amusant, la porte qui le terminait était dissimulée dans le mur. Ariane l'entrebâilla et jeta un coup d'œil dans l'antichambre : il n'y avait là qu'un homme, debout devant une porte. Il faisait les cent pas, presque comme s'il montait la garde.

La jeune fille hésitait à sortir de sa cachette lorsqu'un bruit de pas retentit un peu plus loin. C'était un second domestique qui approchait. L'homme qui se tenait devant la porte jeta au serviteur un regard cruel, puis il lui lança :

— Dégagez donc d'ici ! Monsieur le marquis a ordonné que personne ne le dérange !

Le domestique parut se pétrifier un instant, puis obéit à l'ordre et tourna les talons.

Ariane sentit son cœur s'affoler. La voix ! Elle avait reconnu la voix de l'homme qui semblait monter la garde. C'était, sans aucun doute possible, la voix rauque, grave et méchante de son agresseur. Et, à présent qu'elle l'observait, elle était certaine de reconnaître sa haute stature, ses épaules fortes, ses mains... Ses mains larges, abîmées, qui l'avait serrée à lui en faire mal.

Effarée, Ariane se tapit dans l'escalier dérobé, qui, heureusement, la dissimulait complètement. Il fallait qu'elle évite de faire du bruit. Et qu'elle détale, le plus vite possible.

Elle était en danger. Elle le savait. Elle l'avait reconnu – donc lui aussi la reconnaîtrait, s'il venait à la découvrir. Pourtant, en dépit de toute raison, de tout bon sens, Ariane demeurait en haut de l'escalier, derrière la porte entrebâillée.

L'homme qui se tenait là était l'ennemi de Molière, l'inconnu qui l'avait agressée. Pourquoi l'avait-il attaquée ? Avait-il agit sur ordre ? La clé du mystère se trouvait à quelques mètres d'elle, et Ariane n'avait pas envie de bouger.

Elle était de plus en plus sûre que l'homme montait la garde. Il se tenait devant la grande porte, et jetait des regards menaçants autour de lui bien que, de toute évidence, l'antichambre fût déserte. Qu'y avait-il derrière ? Protégeait-il quelque chose ?

Ariane tenta de calmer les battements de son cœur. Le plus prudent était de redescendre.

Soudain, une voix retentit à l'intérieur de la pièce devant laquelle l'homme montait la garde :

— Planchin !

C'était donc lui, l'homme à tout faire du marquis. Sans doute, quand il avait remarqué que sa veste était déchirée, l'avait-il glissée parmi les vêtements qu'il était chargé de porter chez le fripier. La porte qu'il gardait s'ouvrit légèrement, et un homme passa la tête dans l'entrebâillement. « Probablement le marquis de Laval en personne », songea Ariane.

— Planchin, ces messieurs voudront entendre votre récit.

— Mais la porte...

— Personne ne va venir, voyons !

Planchin quitta son poste, laissant la porte sans surveillance et légèrement entrouverte.

« C'est maintenant ou jamais ! » pensa Ariane.

Il fallait qu'elle sache ce qui se tramait derrière cette porte à demi fermée, où des « messieurs » souhaitaient entendre le « récit » de son agresseur.

N'y tenant plus, la jeune couturière traversa la pièce à pas de loup.

Ce qu'elle distingua par la porte entrebâillée lui coupa le souffle. La pièce était immense. Et, à l'intérieur, une vingtaine d'hommes au moins étaient assemblés, l'air solennel. Tous étaient vêtus de noir, à l'exception de l'un d'entre eux, habillé en violet. Ariane retint son souffle, impressionnée : un évêque !

Elle ne distinguait qu'un des murs de la pièce, dont les fenêtres avaient été aveuglées à l'aide de rideaux de velours sombre. Le lieu était éclairé par des bougies, suspendues aux parois par des chandeliers sculptés en forme de bras. Face à Ariane, un lustre de cristal illuminait un immense tableau du Christ en croix ; les plis pâles et sanglants de sa peau achevaient de rendre l'endroit inquiétant et sinistre.

Tous ces hommes en noir formaient un immense cercle autour de la salle. L'un d'entre eux s'avança au centre, et annonça d'une voix solennelle :

— La réunion de la Compagnie du Saint-Sacrement est ouverte. Loué soit le Très Saint Sacrement de l'autel !

Les hommes qui l'entouraient répétèrent à voix basse, tous en chœur :

— Loué soit le Très Saint Sacrement de l'autel.

Et, d'un même mouvement, ils s'assirent. Un frisson secoua Ariane. Qui étaient ces gens ? Était-ce une religion étrange ? De toute évidence, ils se cachaient. Étaient-ils donc dangereux ? Les mots « Compagnie du Saint-Sacrement » tournaient dans sa tête, mystérieux et évocateurs. Un instant, à observer ces hommes, Ariane eut l'impression d'être plongée dans des temps reculés… dans un monastère de l'an mil… ou au cœur d'une croisade, peut-être…

L'homme qu'elle supposait être le marquis de Laval prit la parole le premier :

— Messieurs, annonça-t-il d'un ton grave, je suis heureux de vous annoncer qu'aujourd'hui, vous rencontrerez enfin un homme qui a été très précieux à cette Compagnie, qui nous aide en secret depuis des mois. Notre nouveau membre.

Sans doute parlait-il de Planchin, réalisa Ariane. Une voix, cependant, s'éleva dans le fond de la pièce :

— Un nouveau membre, ce n'est pas assez ! Nous sommes trop peu nombreux ! déclara l'un des hommes en noir.

— C'est vrai ! Il faudrait recruter plus, renchérit un autre ; nous ne parviendrons jamais, sinon, à défendre l'honneur de Dieu dans le royaume de France !

Des dévots ! Ces hommes étaient des dévots ! comprit soudain Ariane. Un frisson d'effroi la parcourut :

jamais elle n'aurait imaginé qu'ils fussent à ce point organisés !

— C'est impossible, voyons, répondit l'évêque avec véhémence. Chercher à recruter de nouveaux membres, c'est la meilleure façon de nous faire connaître !

— Nous devons à tout prix rester discrets, acquiesça un autre. Notre organisation est secrète et doit le rester.

Ariane sentit le souffle lui manquer : une société secrète ! Les dévots avaient constitué une société secrète ! Et de toute évidence, à part Planchin, celle-ci ne comptait dans ses rangs que des nobles, des ecclésiastiques de haut rang ou des bourgeois très aisés ! Quel pouvoir ne devaient-ils pas posséder !

— Messieurs, venons-en au fait ! Nous n'avons pas de temps à perdre, les interrompit le marquis de Laval. Si vous le voulez bien, Planchin, mon domestique, va rendre compte de la mission que je lui avais assignée.

Planchin fit quelques pas et prit place au milieu du cercle. « Même cette brute a l'air impressionnée par l'assemblée », songea Ariane avec méchanceté.

— Je le surveille depuis un mois maintenant, commença-t-il. Je suis resté aux abords du théâtre. Lui et ses comédiens répètent leur nouvelle pièce.

Ainsi, tous ces hommes étaient de mèche ? D'un ton doucereux, le noble qui devait être le marquis de Laval poursuivit :

— J'ai conseillé à Planchin de parler aux amis de Molière, de leur montrer qu'ils allaient tout droit en enfer. Il a essayé d'en raisonner certains, sans grand succès pour l'instant.

« D'en raisonner certains ! Quel hypocrite ! songea Ariane. Belle façon de "raisonner" les gens avec un poignard dans la main et des menaces plein la bouche ! » Tandis qu'une bouffée de rage montait en elle, l'un des hommes protesta :

— Il ne suffit pas de surveiller la troupe ! Il faut empêcher Molière de nuire ! Cet athée mérite le bûcher !

— Je vous approuve, mon frère, susurra l'évêque, mais enfin le roi le protège. Ce qu'il faut, c'est ouvrir les yeux de Sa Majesté.

La rumeur enfla : comment « ouvrir les yeux » du roi quand Louis XIV n'assistait même pas à la messe, et trompait sa femme au vu et au su de toute la Cour ?

— Il faut prouver au monde que Molière n'est qu'un blasphémateur, qu'un impie !

En entendant ces mots, le marquis de Laval esquissa un sourire carnassier. Puis il reprit la parole, et annonça :

— Vous avez parfaitement raison, cher Confrère, et c'est pourquoi je ne me suis pas contenté d'envoyer Planchin aux abords du théâtre. Non, j'ai trouvé le moyen de nous procurer une copie du manuscrit du *Tartuffe*, dont nous avons diffusé les passages les plus odieux, pour faire réagir les vrais croyants.

Ariane retint son souffle. Ainsi, c'était bien les dévots qui avaient fait circuler le *Tartuffe* ! C'étaient eux qui s'acharnaient contre Molière ! Mais comment avaient-ils réussi à se procurer le texte ? Jamais un comédien n'en aurait donné une copie à qui que ce soit ! Le marquis de Laval poursuivait :

— Nous avons gardé le secret sur cette mission, car il nous fallait être le plus discrets possible. Il y a quelques mois, lorsque la rumeur a couru que Molière commençait à écrire une nouvelle pièce, nous avons songé qu'il fallait, cette fois, prendre nos devants. Nous ne pouvions pas permettre à une autre *École des femmes* de voir le jour. Il était essentiel de *savoir* ce que mijotait Molière, afin de pouvoir l'arrêter. Mais comment faire ? Cet athée ne se confesse même pas ! Les seules personnes à qui il se confie sont les membres de sa troupe… ces prostituées… ces hypocrites.

Un instant, la rumeur enfla, mais le marquis, d'un geste, la contint :

— Et, un jour, une idée m'est venue. Puisque Molière ne se confie qu'à sa troupe, eh bien, il fallait que nous soyons cette troupe. Il fallait que l'un de nous, sous couvert d'aimer le théâtre, assiste aux répétitions, écoute tout ce qui se dirait, pour nous le rapporter. Il fallait quelqu'un qui ait l'air jeune, influençable. Il fallait surtout que tout le monde ignore que notre espion était un dévot.

Cette fois, l'assemblée était suspendue aux lèvres

du marquis, et l'écoutait avec ferveur. Ariane, elle, passait en revue tous les comédiens, tous ceux qui côtoyaient Molière. Et soudain, un soupçon commença à naître dans son esprit : et si le jeune Racine... ? N'était-il pas prêt à tout pour réussir ? N'avait-il pas été éduqué parmi des dévots, à Port-Royal ? Le marquis de Laval parlait toujours :

— J'ai convaincu mon filleul, le fils d'un de mes amis très chers qui nous a, hélas, quittés trop tôt, de nous rendre ce service immense.

« Jean est bien orphelin ! » réfléchit encore Ariane. Peut-être était-ce lui, le filleul du marquis !

— Il a convaincu Molière qu'il était de ses amis, distribuant de l'argent à tout le monde... Vous savez comment sont les comédiens.

Ariane distinguait à peine l'homme que le marquis de Laval pointait du doigt, et qui s'était légèrement avancé à l'intérieur du cercle. C'était une silhouette jeune, une silhouette sombre, une silhouette qu'il lui semblait connaître.

— C'est grâce à lui, grâce aux informations qu'il nous fournit chaque jour, que nous avons enfin une chance de triompher de Molière, poursuivait le marquis. Il a assisté à toutes les répétitions du *Tartuffe*, et, grâce à sa mémoire exceptionnelle, a réussi à en retenir le texte qu'il nous a fourni !

Le marquis ménagea une pause. Ariane sentit sa tête tourner, son cœur s'emballer. Elle allait savoir.

Dans un instant, le traître serait démasqué. Avec un sourire, monsieur de Laval conclut :

— Messieurs, je vous demande de saluer le comte de Vilez !

Antonin s'était retourné. Ariane distinguait à présent son visage au milieu de celui des autres dévots, comme lui vêtus de noir. Il souriait, de ce sourire distant et mystérieux qui l'avait à la fois fascinée et attirée. Son regard bleu pâle tombait tranquillement sur les hommes pour lesquels il avait trahi Molière. Un instant, Ariane eut envie de s'avancer, de l'accuser, de l'insulter. Elle se contint.

Des applaudissements éclatèrent. Antonin de Vilez demeura muet ; il se contentait de promener autour de lui son regard impassible. Puis, soudain, ses yeux croisèrent ceux de son parrain. Le marquis de Laval le prit par l'épaule, et fièrement, lui embrassa le front.

Ariane, chancelante, dut s'appuyer contre la cloison pour ne pas défaillir. Une tristesse étourdissante s'était abattue sur elle. Lentement, son cœur se déchirait ; chaque battement lui perçait la poitrine comme un coup de poignard.

« Je vais hurler », songea-t-elle simplement.

14

Le mouchoir de baptiste blanc

D'un pas vif, Antonin de Vilez sortit de chez le marquis et s'élança dans Paris. Le soir tombait doucement sur la ville ; çà et là, des ombres se levaient sur les façades. Le comte s'engagea dans un dédale de ruelles qu'il espérait désertes. Surtout, il fallait éviter qu'on ne sût qu'il était très proche de son parrain, un dévot notoire.

Comme il tournait et retournait à travers les rues, il eut la curieuse impression qu'on le suivait. C'était une ombre devinée au coin d'une rue, des pas qui s'évanouissaient dans son dos. Mécontent et vaguement inquiet, il pressa le pas dans l'espoir de semer son suiveur. Et si quelqu'un l'avait démasqué ?

« C'est impossible, tenta-t-il de se raisonner. Je n'ai

laissé aucune trace, aucune piste. J'ai simplement mémorisé la pièce. Et cela, qui pourrait le prouver ? » Le comte s'engagea sur le Pont-Neuf. L'endroit était idéal pour disparaître discrètement. La foule était incroyablement dense ; les trottoirs étaient envahis par des échoppes de fortune. Partout, c'était la cohue ; mais il n'y avait dans cette foule aucun visage familier, aucune expression soupçonneuse. « J'ai simplement mauvaise conscience », songea le jeune homme, et il reprit sa route.

Soudain, son attention fut attirée par des éclats de rire, du côté de la place Dauphine. Intrigué, il s'approcha : des tréteaux avaient été montés, sur lesquels s'agitaient des comédiens. « Rien qu'un moment », songea le comte. Et, presque malgré lui, il s'arrêta pour regarder, fasciné par le spectacle.

Soudain, Antonin sentit une présence familière à ses côtés. Il tourna la tête. À un mètre de lui, à peine, se trouvait Ariane. Un frisson le parcourut. Elle était absorbée par le spectacle ; elle ne l'avait pas remarqué. Il resta à la contempler, oublieux des vendeurs à la sauvette, des cris des farceurs, et de la foule qui le bousculait.

« Je dois partir », songea-t-il, mais il ne bougea pas. Il n'osait imaginer la colère de son parrain s'il lui avouait qu'il était amoureux d'une couturière. De la couturière *de Molière* entre toutes ! Comment pouvait-il être à ce point idiot ? Il savait bien, pourtant, qu'il fallait se méfier des femmes, que celles-ci faisaient vaciller les résolutions les plus fermes et pouvaient compromettre la foi la mieux ancrée. Le marquis le lui avait assez répété !

« Je dois partir », répéta-t-il intérieurement, à peine plus convaincu. Il savait qu'il ne pouvait pas résister à Ariane. Lorsqu'elle n'était pas là, il ressentait son absence comme une douleur physique. Malgré lui, il l'appela :

— Ariane !

À l'appel de son nom, la jeune fille se retourna. Et, avec un frisson de détresse, le comte remarqua ses yeux brillants de larmes et le mouchoir de baptiste blanc qu'elle tenait, pressé entre ses doigts.

Ariane perçut vaguement la voix du comte, qui se mêlait à la rumeur des passants et aux cris des comédiens. Elle n'avait aucune idée de ce qu'il avait pu dire, et elle s'en moquait. Elle le haïssait. Il s'approcha d'elle, l'air inquiet, et répéta :

— Quelque chose ne va pas ?

« Quelque chose ne va pas » ! Une flopée d'injures lui monta aux lèvres ; elle voulait le frapper ; le blesser comme il l'avait blessée… Mais elle se retint :

— Rien, répondit-elle d'un ton buté, en reportant son attention sur le spectacle.

L'un des farceurs donnait des coups de bâton à son voisin ; l'autre, masqué, faisait des pirouettes, le troisième jouait de la musique… et les vendeurs d'orviétan qui les accompagnaient haranguaient le public dans l'espoir de vendre l'un de leurs remèdes.

— Ariane, voyons, vous pouvez me le dire, insista le comte, qui s'était approché d'elle.

Il était si près, à présent, qu'elle sentait son souffle contre son cou. Il lui prit la main :

— Est-ce votre patronne…

Il n'acheva pas sa phrase ; d'un geste brusque, Ariane s'était dégagée. Une expression peinée passa sur le visage d'Antonin, mais elle l'ignora. Elle se précipita dans la cohue, souhaitant disparaître, se noyer dans la foule !

Depuis qu'elle avait découvert sa trahison, une heure, peut-être deux heures auparavant, elle n'avait pas été capable de penser à autre chose. Elle se rappelait sans cesse les applaudissements des dévots, l'étreinte du marquis. Le comte de Vilez, un dévot ! Un traître ! Elle avait envie de frapper quelqu'un, tout pour échapper à ce sentiment d'horreur et de désespoir qui lui dévorait le ventre. Elle voulait être seule !

Mais le jeune homme ne l'entendait pas de cette oreille. Il s'était lancé à sa suite, dans la foule. Pour lui échapper, elle traversa brusquement le pont, et faillit se retrouver sous les roues d'un carrosse. Au dernier instant, le comte la tira en arrière. D'une bourrade, elle se débarrassa de son étreinte et poursuivit sa course. Elle passa parmi les piétons, devant une chaise à porteurs, entre deux cavaliers, bondit sur le trottoir, bouscula un vendeur d'almanachs, se glissa derrière la statue d'Henri IV, et parvint, à bout de souffle, près du parapet.

« Je l'ai semé », constata-t-elle en s'accoudant contre le muret. Un instant, elle s'arrêta pour reprendre son souffle. Sous ses pieds, la Seine coulait paisiblement, couverte de bateaux et de barques en tout genre. Au loin, devant le Louvre, les vendeurs de foin déchargeaient leur marchandise. Pendant plusieurs minutes, la jeune fille regarda le ballet des embarcations qui allaient et venaient sur le flot, tâchant de retrouver son calme.

— Ariane !

Identifiant la voix du comte, elle se redressa et reprit sa fuite. En quelques secondes, il fut à son côté.

— Que se passe-t-il, voyons ? demanda-t-il d'un ton inquiet.

Ariane serra les lèvres, et accéléra.

— Mais enfin, dites-moi !

Il essaya de la prendre par l'épaule, et l'espace d'une demi-seconde, Ariane se prit à apprécier la douceur de sa main, son regard tendre et inquiet. Puis, à nouveau, la fureur s'empara d'elle, plus forte, plus brûlante qu'auparavant, et elle hurla :

— Vous n'êtes qu'un menteur ! qu'un traître ! vous êtes l'être le plus méprisable que la Terre ait jamais porté, le cloporte le plus infâme, une raclure, un démon, un hypocrite, un…

La fin de sa tirade fut couverte par les hurlements d'un homme à qui on arrachait les dents, sur une estrade, à quelques mètres de là. Mais, à voir le visage brusquement ravagé du comte, elle comprit qu'elle n'avait pas besoin d'en dire davantage. Il savait qu'elle savait.

Accablé, Antonin sentit la panique et le désespoir l'envahir. Son estomac se souleva, sa tête se mit à bourdonner ; il eut l'impression qu'il allait se trouver mal. Mais c'était idiot. Il était le comte de Vilez. Il ne tombait pas malade, pas parce qu'une petite couturière le traitait de... de...

Et Ariane avait recommencé à crier :

— Vous avez vendu Molière aux dévots !

— Je n'ai « vendu » personne, dit-il, et il réalisa, en prononçant ces mots, que sa voix avait pris une intonation suppliante. J'ai fait ce qui me paraissait bien, ce qui me paraissait juste.

— En trahissant ceux qui vous faisaient confiance !

— Je ne pouvais pas faire autrement. Ariane, Molière est peut-être charmant, il est peut-être drôle, mais il est *dangereux* !

Ils criaient l'un et l'autre, oublieux de la foule qui allait et venait autour d'eux. Antonin fixait Ariane qui s'était remise à pleurer ; elle se laissait ballotter par les passants qui s'insinuaient entre eux ; elle s'éloignait de lui. Sans égards pour les gens qu'il bousculait au passage, le jeune homme l'attira à l'écart, au bord du parapet.

— Lâchez-moi !

— Laissez-moi vous expliquer ! Vous montrer que j'avais raison !

— Si vous aviez à ce point raison, pourquoi vous cacher ? répliqua Ariane, furieuse, en se dégageant. Quand on a la conscience tranquille, on ne se réunit pas en catimini pour comploter ! On ne fait pas partie d'une société secrète !

Il fallut quelques secondes à Antonin pour réaliser ce qu'il venait d'entendre. Il avait d'abord cru qu'Ariane savait simplement qu'il était responsable de la fuite du *Tartuffe* – mais c'était bien plus grave : elle avait appris l'existence de la Compagnie. De la société la plus secrète de Paris ! Quoi qu'elle ait pu surprendre, c'était une catastrophe.

Antonin la regarda qui détournait les yeux, et s'abîmait dans la contemplation des bateaux qui passaient sous le pont. Son devoir, il le savait, était de se précipiter chez son parrain, et de l'informer que la jeune fille avait découvert leur secret. C'était la seule solution. Les Confrères se chargeraient de la faire taire.

Pourtant, il ne bougea pas. Au fond, il savait qu'il ne courrait pas chez le marquis, qu'il ne dirait pas un mot. La faiblesse coupable qu'il avait pour la jeune fille l'empêchait d'agir comme il eût dû le faire. Celle-ci avait tourné les yeux vers lui, et lâchait d'une voix froide, où pointait le mépris :

— Comment avez-vous pu commettre une telle trahison ?

Ce ton dédaigneux, désappointé, blessa Antonin plus profondément que ne l'avaient fait les cris. Tâchant de rester calme, il répondit simplement :

— Je l'ai fait parce que la Compagnie me l'a demandé.

— Mais pourquoi ?

— Parce que j'appartiens à la Compagnie.

— Je ne comprends pas, soupira Ariane, les yeux brillants.

Un vendeur de rue passa devant eux, les abordant :

— Remèdes, potions, pommades, poudres, lotions, onguents, élixirs, philtres d'amour…

D'un geste las, le comte le congédia ; puis il se tourna vers Ariane, et expliqua dans un soupir :

— Mon père est mort il y a deux ans. Dans un duel. Je me suis trouvé plongé dans les intrigues de la Cour. La seule chose qui importe là-bas, c'est de savoir qui occupera la charge la plus importante, aura la pension la plus élevée, sera le mieux vêtu, qui sera salué par le roi ! Pour un peu, on m'aurait félicité de la mort de mon père qui me rapportait tant d'argent, tant de titres !

Ariane hocha la tête, le visage fermé. Mais, au moins, elle l'écoutait. Il poursuivit, choisissant ses mots avec précaution :

— Vivre pour de l'argent, des vêtements, du prestige… ce n'est pas une vie. Rapidement, j'ai été gagné par le désespoir. Plus rien n'avait de sens ; et puis le marquis est arrivé. La Compagnie m'a sauvé, comprenez-vous ? C'était comme si le monde avait enfin retrouvé une logique. Un sens. Je distinguais enfin le Bien du Mal. J'étais utile. J'allais secourir les pauvres, j'allais aider les nécessiteux, les malades, faire la charité…

— Mais Molière ! Molière ne vous avait rien fait !

Ariane avait froncé les sourcils, et le dévisageait. Ses mains jointes trituraient nerveusement le petit mouchoir de baptiste blanc. Antonin soupira. Elle était bien trop éblouie par Molière, par Versailles, par la Cour, pour envisager que peut-être il puisse avoir raison. Il persévéra néanmoins :

— Mais, Ariane, ne vous rendez-vous pas compte que c'est… tout cela, Molière, la Cour, c'est la même chose. Ce sont des gens sans morale, sans religion, des libertins. Molière n'est qu'un valet du roi ! Mais enfin, regardez seulement la noblesse : tous, ils se complaisent dans l'oisiveté, dans cette civilisation de plaisir où rien ne compte que les apparences.

— Et alors ? demanda la jeune fille, butée.

— Et alors ? Ariane, savez-vous combien d'ouvriers meurent chaque jour dans les chantiers de Versailles ? Savez-vous ce que sacrifient les paysans pour les robes de soie que vous faites aux dames de la Cour ?

Elle détourna les yeux, comme embarrassée – et un instant, il eut le sentiment que peut-être, elle commençait à comprendre. Mais, le moment d'après, elle le regardait bien en face, et déclarait :

— Ce n'est pas une raison. Pas une raison pour se

balader dans la rue, et menacer les innocents avec des poignards. Pas une raison pour rouer les gens de coups, pour les espionner. Antonin…

Le jeune homme ne put s'empêcher de tressaillir – c'était la toute première fois qu'Ariane l'appelait par son prénom, et cela lui fit l'effet d'un coup de foudre.

— Antonin, cette Compagnie, ce sont des gens dangereux. Bien plus dangereux que Molière.

Leurs yeux se croisèrent. Et, à cet instant, Antonin sut qu'il ne la convaincrait pas. C'était comme une vérité écrite dans l'air, comme une révélation : jamais personne ne convaincrait Ariane d'abandonner Molière.

Tristement, Ariane s'éloigna. Elle ne fuyait plus ; elle était bien trop lasse pour cela. Elle se sentait lasse et fragile. Machinalement, le comte lui emboîta le pas, et ils avancèrent pendant quelques secondes en silence. Ni l'un ni l'autre ne faisait attention aux apostrophes des bouquinistes devant leurs éventaires, ni aux tenanciers de loterie qui criaient pour attirer leur attention.

— Je ne vous dénoncerai pas à Molière, finit par décider Ariane. Mais je ne veux plus jamais, jamais vous voir approcher de la troupe.

Il la dévisagea comme si elle avait perdu la raison.

— Mais pourquoi ? Pourquoi ne pas me dénoncer ?

— Le mal est fait, soupira-t-elle. Par contre, je lui parlerai de la Compagnie.

Au fond, elle savait qu'elle aurait dû courir trouver Molière, et tout lui raconter. Lui expliquer comment, exactement, les dévots avaient mis la main sur le texte du *Tartuffe*. Mais dénoncer le comte était au-dessus de ses forces.

— Mais pourquoi me protéger ? demanda-t-il encore, incrédule.

Sa voix avait quelque chose d'étranglé, comme si les mots peinaient à venir.

— Vous m'avez bien protégée, vous, quand cet homme m'attaquait, dit-elle simplement.

Pendant de longues secondes, ils se dévisagèrent en silence.

« Voilà, songea Ariane, tout est dit. J'ai choisi Molière, il a choisi la Compagnie. »

Il n'y avait rien à ajouter, sinon, peut-être, les sanglots que la jeune fille sentait naître au fond de sa gorge.

— Vous ne me devez rien, Ariane, soupira le comte. Je vous ai protégée, mais… c'était plus fort que moi.

— C'est plus fort que moi, aussi, confessa la jeune fille.

Elle ne put plus longtemps soutenir l'intensité bleue de son regard. Elle baissa les yeux sur le mouchoir blanc qu'elle tenait encore entre ses mains, et que, dans sa nervosité, elle avait presque déchiré.

Puis, tournant la tête, elle contempla le pont dans le soleil couchant. Au loin, très loin, les ruines de la tour de Nesle grimpaient jusque dans la nuit.

— J'aurais envie de rester ici, pour toujours, avoua Ariane, presque malgré elle.

— Moi aussi… Ignorer les gens qui vont et viennent, se moquer du fait que je vais au sud et que vous remontez. Juste rester là, sur ce pont, immobiles tous les deux…

Soudain, ils sursautèrent. À côté d'eux, des clochettes venaient de tinter ; c'était une musique douce, presque mélancolique. Ils se retournèrent. L'horloge de la Samaritaine, l'immense pompe placée sur le pont, annonçait le crépuscule.

— En fermant les yeux, soupira Ariane, on ne voit plus le flot des gens qui nous entraînent.

Le jeune homme acquiesça, et, lentement, il ferma les yeux lui aussi. Oui, l'obscurité avait quelque chose d'apaisant ; les bruits du monde semblaient soudain plus vagues, moins douloureux. Lentement, il entrouvrit les paupières, cherchant la jeune fille des yeux.

Ariane n'était plus là. Elle s'était glissée dans la foule, elle avait disparu… Elle l'avait abandonné ! Une tache blanche attira son regard. C'était le mouchoir de baptiste d'Ariane qui gisait, abandonné, piétiné, sur le trottoir. Il se baissa pour le ramasser, l'enferma dans son poing crispé, puis, sans regarder en arrière, quitta le Pont-Neuf.

15

La rime en « revêtue »

« Quel chaos ! » songea Élise.

Les comédiennes de Molière, qui étaient là depuis plus d'une heure, semblaient fermement résolues à mettre la boutique à sac. Elles insistaient pour dérouler tissu après tissu, se chamaillaient sur le moindre ruban, se battaient pour quelques dentelles…

Et Ariane qui avait disparu ! Plus les heures passaient, plus l'inquiétude d'Élise grandissait. Elle était partie le matin, en quête du propriétaire de la veste. À présent, il était plus de huit heures, et elle ne revenait pas. Qui sait ce que les ennemis de Molière avaient bien pu lui faire ?

Soudain, Élise sursauta : il lui semblait avoir entendu claquer la porte de l'arrière-boutique. Ariane ? Il fallait qu'elle en ait le cœur net : en quelques pas, elle fut dans l'atelier.

C'était bien sa cousine. Elle était revenue. Mais dans quel état ! Assise à même le sol, elle tremblait nerveusement.

— Ariane, qu'y a-t-il ?

Elle ne semblait pas blessée. Que s'était-il donc passé ? Élise s'accroupit à son côté.

— Antonin…, balbutiait Ariane entre deux sanglots. Antonin…

Il fallut de longues minutes à Élise pour comprendre ce qui désespérait tant Ariane. Lorsque enfin elle eut saisi toute l'histoire – la trahison du comte de Vilez, la société secrète, le complot des dévots, le marquis de Laval – elle resta un instant dubitative. Ce n'était tout simplement *pas possible*.

Lentement, pourtant, elle dut se rendre à l'évidence : Ariane était là, prostrée au sol, traumatisée par sa journée qui n'en finissait pas. Jamais elle ne l'avait vue dans cet état – pas même après son arrivée à Paris, quand, pendant des jours et des jours, elle n'avait cessé de réclamer ses parents. Elles furent interrompues par la voix de Marquise qui venait de la boutique :

— Élise ! J'ai trouvé le tissu parfait pour ma robe couleur de printemps !

Ariane, stupéfaite, releva la tête.

— Oui, elles sont dans la boutique, admit Élise. Toutes les cinq. Elles cherchent des tissus pour leurs robes – tu ferais mieux d'aller les rejoindre.

Sa cousine lui jeta un regard angoissé, tout en se relevant :

— Mais, Élise, je ne peux pas ! Je... je n'ai pas encore eu le temps de réfléchir à tous les costumes. J'ai des dizaines de robes à faire, et les délais sont si courts ! La « robe couleur de printemps » de Marquise... je ne sais pas à quoi elle va ressembler...

— Elle est pour quelle pièce ?

— Pas pour une pièce, pour un défilé qui aura lieu tout au début des fêtes du roi... Et puis, je dois aussi créer une robe représentant l'Âge d'or, pour Armande. Une robe dorée ! Tu sais bien que je *déteste* les robes dorées !

Élise ne put s'empêcher de sourire. Combien de querelles n'avaient-elles pas eues à cause de tissus couleur d'or ! Mais Ariane poursuivait, d'une voix hachée par l'angoisse :

— Et que vais-je dire à Molière ? Comment peut-on combattre les dévots ? continuait-elle. Je ne *peux pas* aller dans la boutique !

Élise prit sa cousine par la main, fermement.

— Écoute-moi bien ! lui dit-elle. Tout ce que tu as à faire, pour l'instant, c'est de passer cette porte, aller dans la boutique, et de les aider à choisir leurs tissus. C'est tout. Le reste, n'y pense pas, oublie-le... on... on trouvera une solution plus tard.

— Ce taffetas serait parfait pour ma robe couleur de printemps ! s'enthousiasmait Marquise, en promenant ses doigts sur un tissu vert brodé, au moment où Ariane passa dans la boutique.

La robe couleur de printemps ! Ce *nom*, rien que ce nom suffisait à donner des cauchemars à Ariane. Marquise était censée défiler devant la Cour au grand complet dans cette tenue, et la couturière avait eu tant de travail avec toutes les autres robes qu'elle n'avait pas vraiment eu le temps de réfléchir à ce costume.

— Je dois incarner la beauté, la jeunesse, le renouveau, la fraîcheur…, insistait cependant Marquise. Il me faut ce tissu ! Regarde, Ariane, il y a même des petites fleurs brodées !

Ariane faillit répondre que c'était un défilé, et que personne ne remarquerait les « petites-fleurs-brodées » à dix mètres de distance, mais elle n'en eut pas le temps : Armande s'était précipitée sur le rouleau de taffetas.

— Pas du tout ! s'offusqua-t-elle. C'est le tissu qu'il me faut pour ma robe de princesse.

Elle avait obtenu de Molière qu'il lui écrivît un rôle de princesse, et elle allait montrer à toute la Cour l'étendue de son talent et de son charme. Et elle entendait bien qu'Ariane lui fît la plus somptueuse des robes pour mettre sa beauté en valeur.

— C'est *mon* tissu ! rugit Marquise.

— Nous demanderons l'avis de Jean-Baptiste, décida Armande, bien persuadée que son mari lui donnerait raison.

« Pauvre Molière ! », pensa Ariane. Comme si les dévots n'étaient pas assez ! La jeune fille considéra les comédiennes, qui tenaient chacune le rouleau à un bout, et refusaient de lâcher prise. Un instant, la tentation de fuir, d'aller se cacher dans l'atelier, fut presque trop forte. Mais, dans son dos, la voix de Madeleine retentit, sévère :

— Ce taffetas-là sera pour la robe de printemps, décida-t-elle, péremptoire. Le printemps *doit* être en vert. Mais pour la robe de princesse, regarde, Armande, il y a ce tissu jaune pâle.

Armande jeta à sa mère un regard féroce, mais ne protesta pas. Ariane mit de côté le taffetas vert, bénissant mentalement Madeleine. Et dire qu'il restait à peine trois semaines avant les fêtes royales ! Chaque fois qu'elle y pensait, la jeune fille avait l'impression qu'elle allait se remettre à pleurer. La robe de printemps de Marquise... La robe de l'Âge d'or d'Armande... les robes de *La Princesse d'Élide*... celles du *Tartuffe*...

La porte de la boutique s'ouvrit. Ariane se figea, imaginant un instant le pire : le comte l'avait peut-être dénoncée et les dévots venaient se venger. Mais l'homme qui se tenait sur le seuil n'appartenait pas à la Compagnie.

— Ah ! C'est donc *ici* que vous êtes toutes ! gronda Molière. Et la répétition ? Vous étiez censées être au Palais-Royal il y a plus d'une heure !

— Tu as déjà des idées de coupe, pour ma robe

couleur de printemps ? chuchota Marquise à Ariane, sans faire attention au directeur de la troupe.

Armande, elle, s'était drapée dans le taffetas jaune pâle destiné à sa robe de princesse.

— Qu'en penses-tu ? demanda-t-elle à Madeleine.

Fronçant les sourcils, Molière traversa la pièce et lui prit le rouleau des mains.

— C'est l'heure de la répétition !

— Nos costumes ! protesta Armande. C'est le plus important.

Il manqua de s'étouffer :

— Et mes pièces, alors ?

— Mais bien sûr, tes pièces sont importantes, expliqua Armande d'un ton conciliant où entrait beaucoup de distraction (elle avait repris le taffetas et le comparait avec un rouleau de ruban). Simplement, les costumes, c'est la première chose qu'on remarque. Que penses-tu de ce tissu ?

Visiblement découragé, Molière s'éloigna sans répondre et s'assit derrière le comptoir. Il avait une mine épouvantable : son visage était livide et ses yeux soulignés de cernes presque noirs. Il avait maigri. Ariane hésita. C'était le moment ou jamais de lui parler de la Compagnie, des dévots, elle ne l'ignorait pas. Mais il avait l'air à bout de forces ! Et elle-même n'avait qu'une envie : fuir, se cacher, tout oublier.

— Va lui parler, ordonna Élise à mi-voix.

Ariane se retourna. Sa cousine avait raison. Tôt ou tard, il faudrait bien agir.

Molière l'écouta en silence, sans l'interrompre une seule fois. Contrairement à Élise, il ne fit aucune remarque étonnée, aucun commentaire sceptique. Lorsqu'Ariane eut achevé son récit – sans mentionner le comte de Vilez – il se contenta de secouer la tête en répétant :

— La Compagnie du Saint-Sacrement… la Compagnie du Saint-Sacrement !

— Vous les connaissez ? s'étonna Ariane.

Le comédien eut un sourire amer :

— Bien sûr ! Des fanatiques, qui disent œuvrer pour la gloire de Dieu. Sous prétexte d'une action caritative, ils espionnent, ils punissent ceux qui ne pensent pas comme eux. Ils ont été interdits par le roi, il y a… oh, je ne sais pas, plusieurs années…

— Mais, c'est impossible ! Ils existent ! Je les ai vus !

— Ce qui prouve seulement, soupira Molière, qu'ils sont assez malins pour se dérober à la justice royale.

Ariane mit de longues secondes à prendre la mesure de cette révélation. Ainsi, le roi *connaissait* la société secrète, mais celle-ci lui échappait quand même. Si Louis XIV ne pouvait lutter contre les dévots, qui le pourrait ?

— Ce qu'il y a, poursuivit Molière, c'est que la Compagnie du Saint-Sacrement n'est qu'une infime portion du problème. Derrière les dévots, il y a l'Église – et l'Église est toute-puissante en France. Elle est richissime. Elle se sert de la religion pour asseoir son pouvoir, et tout le monde croit ce qu'elle dit. Tu ne sais pas ce que les mots de « Dieu », de « Salut » ou de « Bien » peuvent faire faire aux gens.

Si, Ariane le savait ! Il lui suffisait de repenser au visage du comte de Vilez, là-bas, sur le Pont-Neuf, qui lui assurait que Molière était dangereux… Elle n'avait aucun mal à croire aux pouvoirs d'endoctrinement de la religion. Pourtant, elle se révolta : Molière ne pouvait pas accepter cela ! L'Église était toute-puissante, l'Église était soutenue par tous, mais allait-on la laisser éternellement triompher ? N'y aurait-il pas des gens pour s'insurger contre son pouvoir ?

— Il doit bien y avoir quelque chose à faire, protesta Ariane.

— S'assurer que le roi reste de notre côté, répondit Molière. Les dévots font tout ce qu'ils peuvent pour convaincre que le *Tartuffe* doit être interdit. Mais la seule opinion qui compte, c'est celle du roi.

— Et le roi n'aime pas les dévots !

— Peut-être. Mais lui non plus, il ne peut faire complètement abstraction du pouvoir de l'Église.

Consternée, la jeune fille réalisait peu à peu la portée de ses découvertes. Les ennemis de Molière n'étaient pas un marquis un peu fou et son homme de main porté sur la violence. Ils avaient derrière eux un ordre puissant, et ce n'était pas la troupe de

Molière, avec ses plaisanteries et ses pièces, qui le tiendrait longtemps en échec.

— Mais que faire ? insista la jeune couturière, gagnée par le désespoir.

— Prier, lui répondit Molière, avec un clin d'œil.

Et, croisant le regard déconcerté d'Ariane, il éclata de rire. Médusée, la jeune fille le dévisagea : où trouvait-il encore la force de plaisanter ?

— Alors, ma robe couleur de printemps, à quoi ressemblera-t-elle ?

Marquise s'était approchée. Paniquée, Ariane tenta d'imaginer quelque chose, n'importe quoi, qui évoque le printemps.

— Euh..., hésita-t-elle. Elle sera... en taffetas vert pâle, brodé, à fleurs, très beau, très...

— Mais je le sais bien ! s'exclama Marquise, irritée. C'est *moi* qui ai choisi le tissu. Je veux savoir à quoi ressemblera la *robe* !

« Ne paniquons pas, se dit Ariane. Il y a bien quelque chose à trouver. Quelque chose qui ferait *printemps*. De l'herbe ? Un costume de nymphe ? » Non sans un brin de méchanceté, Ariane songea un instant à déguiser Marquise en arbre, ses bras en guise de branches...

— Alors ? s'impatientait la comédienne.

Ariane allait avouer qu'elle n'avait pas encore d'idée, quand Molière les interrompit :

— Eh ! cria-t-il à la cantonade. Il me faudrait un mot qui rime avec « statue ».

Assis derrière le comptoir, il griffonnait depuis plusieurs minutes. Ariane comprit : il était en train de continuer à écrire *La Princesse d'Élide*. C'était ce qui s'appelait ne pas perdre de temps !

— Pour quel vers ? demanda Madeleine, sans lever les yeux de la pile de dentelles qu'elle était en train d'examiner.

— Eh bien, expliqua Molière, c'est le prince qui explique que la première fois qu'il a vu la princesse, elle ne lui a fait ni chaud ni froid. Il dit qu'il a remarqué sa beauté, *mais de l'œil dont on voit une belle statue.*

— Vertu ? suggéra Marquise.

— Hum..., hésita Molière. *J'ai vu cette princesse et toutes ses vertus,*

Mais de l'œil dont on voit une belle statue. Mouai. Autre chose ?

Ariane écoutait Molière d'une oreille distraite : elle réfléchissait à toute vitesse.

« Une robe de printemps... une robe de printemps... Lui faire porter des bijoux en forme de bourgeons ? Non ! Agencer les rubans pour faire comme des fausses fleurs sur la robe... Non ! Il faut que je trouve quelque chose, n'importe quoi, et que je dise à Marquise comment elle sera vêtue ! Vêtue ? Vêtue... Tiens, mais ce mot-là conviendrait peut-être pour la rime ? » Timidement, elle risqua :

— Vêtue ?

Molière réfléchit un instant.

— *Je vis tous les appâts dont elle est vêtue,*

Mais de l'œil dont on voit une belle statue. Non, ça ne va pas, soupira-t-il.

— Pourquoi ? demanda Ariane, déçue.

— Il manque un pied, expliqua le comédien.

— Un pied ?

Voyant le visage perplexe de la couturière, Molière lui expliqua gentiment :

— Chaque vers doit avoir douze pieds, c'est-à-dire douze syllabes : *mais-de-l'œil-dont-on-voit-un-e-bel-le-sta-tue.* Et il faut faire une pause au milieu, après les six premiers : *mais-de-l'œil-dont-on-voit* – pause – *un-e-bel-le-sta-tue.* Avec vêtu, on n'arrive qu'à onze.

— Revêtue, alors ? proposa Ariane.

Le visage du dramaturge s'éclaira :

— Mais oui !

Et, se penchant par-dessus son épaule, Ariane le vit qui notait : « Je vis tous les appâts dont elle est revêtue, mais de l'œil dont on voit… » En souriant, elle reprit son travail. Elle avait aidé Molière à écrire un vers !

— Alors ? Ma robe de printemps ? lui demanda à nouveau Marquise.

« Fichue robe de printemps ! songea Ariane. Je ne sais pas, moi, je pourrais la déguiser en petit oiseau qui chante… en fleur à peine éclose… »

Marquise la regardait d'un air sévère. La panique

s'empara d'Ariane ; elle lâcha la première chose qui lui passait par la tête :

— Eh bien, en fait, l'idée c'était de… de… pas de rubans, pas de dentelles mais de… des… de… de coudre le taffetas avec des vraies fleurs ! Au lieu d'ornements, des fleurs !

« Qu'est-ce que je viens de dire ? s'effara Ariane. De vraies fleurs ? Quelle idée absurde ! »

Marquise la regardait d'un air choqué.

« Ça y est, songea la jeune fille, elle ne va plus vouloir que je fasse sa robe ».

— De vraies fleurs…, répéta lentement la comédienne, tandis qu'un sourire naissait sur ses lèvres. C'est frais, c'est léger, c'est original…

Elle réfléchit encore un instant, puis elle conclut :

— J'adore !

Ariane, soulagée, inspira profondément. L'instant d'après, pourtant, la panique la reprenait.

« Comment, mais comment vais-je réussir à coudre de vraies fleurs dans une robe ? C'est absolument impossible ! »

Lorsque les comédiennes quittèrent la boutique, la nuit était tombée depuis bien longtemps. Jamais la boutique n'était restée ouverte si tard ! Exténuée, Ariane rassembla dans un coin les tissus qu'elles avaient choisis pour leurs robes. Des heures et des heures de travail en perspective. Si seulement elle avait la moindre idée de ce qu'elle allait faire !

— Ariane, souffla Élise, sur le pas de la porte. Viens te coucher.

— J'arrive.

Et dire que, trois mois plus tôt, faire partie de la troupe lui avait semblé être un rêve merveilleux et inaccessible ! Mais le roi leur demandait l'impossible : il fallait réaliser tant de spectacles, et dans des délais si courts… D'un geste las, elle souleva la soie dorée destinée à la robe d'Armande. Une robe dorée ! Elle se tourna vers Élise.

— Je n'y arriverai jamais…

— Ce n'est pas si difficile, souffla sa cousine. Tu pourrais faire quelque chose de très majestueux, avec des rubans, des pretintailles.

Élise et ses pretintailles ! Ariane esquissa un sourire, qui disparut vite.

— Tout ira bien, la rassura sa cousine. On trouvera une solution pour la robe de l'Âge d'or.

D'un geste rassurant, elle serra Ariane dans ses bras. La jeune couturière soupira. La robe, peut-être… Mais les dévots ? Le *Tartuffe* ? Et le comte de Vilez ? Tristement, elle songea qu'elle aurait mieux fait de se conformer aux vœux de Blanchette, et de ne jamais quitter l'atelier. À quoi bon ces combats sans trêve ? À quoi bon, si c'était pour finir épuisée, pour échouer, le cœur en miettes ? Elle laissa tomber sa tête contre l'épaule de sa cousine.

— Nous y arriverons, chuchota Élise. Je te le promets.

16

De la soie, des fleurs, du taffetas

Mai 1664

Sans un bruit, le marquis de Laval se glissa entre les arbres. Il avançait prudemment. C'était à présent que tout se jouait. Soudain, son pourpoint se prit dans les feuillages, et fit craquer quelques branches. Il se figea, craignant que le bruit n'ait alerté quelqu'un. Il attendit plusieurs secondes ; le parc de Versailles demeura silencieux.

Soulagé, il dégagea son pourpoint, et reprit sa route. Parvenu à la lisière du bosquet, il s'arrêta, et souleva précautionneusement quelques branches. Il esquissa un sourire satisfait : il ne s'était pas trompé. C'était là, à quelques mètres de sa cachette, que répétaient Molière et sa troupe. Le marquis n'aurait pu souhaiter meilleur poste d'observation.

Les comédiens étaient tous là, assemblés en cercle, dans les jardins de Versailles. Même la couturière, assise au bord de la fontaine, travaillait à une robe verte. Ils profitaient de ce splendide après-midi de mai pour répéter. Le marquis réprima un ricanement : s'ils savaient ce qui les attendait !

Il tendit l'oreille, espérant surprendre au vol quelques bribes de la répétition. Il fallait s'assurer que ni Molière, ni ses comédiens ne se doutaient de rien. Madeleine Béjart, la rouquine, déclamait :

— *Mon dieu, vite, avancez.*

Vous vous aimez tous deux plus que vous ne pensez.

— *Si de l'Amour un temps j'ai bravé la puissance*, répondait La Grange, le jeune premier,

Hélas ! mon cher Arbate, il en prend bien vengeance !

Il avait à peine achevé sa réplique qu'un silence s'abattit sur la troupe. S'enfonçant un peu plus profondément dans le bosquet, le marquis s'inquiéta : quelqu'un l'avait-il remarqué ? Mais, bien vite, il fut rassuré par la voix de Molière, qui tonnait :

— Tu confonds, voyons ! Ces vers-là viennent de *La Princesse d'Élide*, pas du *Tartuffe* ! Tu mélanges les deux pièces !

Le marquis réprima un sourire, tandis que La Grange bafouillait d'un air confus :

— Je suis désolé… Nous répétons l'une, puis l'autre, puis l'une… je finis par m'embrouiller…

— Dites plutôt que vous ne savez pas votre texte !

— *Mais ne faites donc point les choses avec gêne*..., dit la couturière, qui avait sur les genoux le manuscrit de la pièce.

« De mieux en mieux ! » s'amusa-t-il. Les comédiens avaient besoin que *la couturière* leur souffle le texte ! Molière, cependant, tempêtait toujours :

— Comment voulez-vous jouer devant le roi si vous ne savez pas un mot du texte ? Je ne vois pas pourquoi je me fatigue à écrire des pièces, je vous les fais répéter, si vous ne retenez jamais rien !

Le marquis haussa les épaules : il en avait assez vu. La troupe était loin d'être prête ; et jamais, jamais elle ne pourrait résister aux derniers coups que la Compagnie s'apprêtait à lui porter.

Un sourire satisfait aux lèvres, il tourna les talons et s'enfonça dans le bosquet. Grâce au texte fourni par Antonin, ils menaient déjà depuis trois semaines une incessante campagne d'opinion contre Molière. Désormais, nul dans Paris n'ignorait plus que le comédien était athée, et que sa pièce était impie ! Mais le roi n'avait pas cédé. Il n'avait pas interdit la pièce. *Pas encore*.

Fort heureusement, la Compagnie avait d'autres cordes à son arc, et le moment était venu de les utiliser. Le plan avait été soigneusement médité, et, cet après-midi même, ils frapperaient le premier coup. Si Molière espérait encore pouvoir représenter son *Tartuffe*, il se trompait lourdement.

Ariane sursauta :

— Tu as vu ? demanda-t-elle en saisissant Jean par le bras.

Racine la dévisagea un instant, et haussa les épaules.

— Vu quoi ?

— Là ! Dans le bosquet ! Je suis sûre d'avoir vu quelque chose bouger.

Il jeta un coup d'œil distrait aux arbres qu'Ariane pointait du doigt. La jeune fille, elle, scrutait l'endroit avec une attention inquiète. Elle aurait juré avoir vu une silhouette se glisser entre les branches, et disparaître. Cela n'avait duré qu'une seconde : elle était en train de coudre la robe de printemps de Marquise, elle avait levé les yeux et un mouvement avait attiré son attention. Le temps qu'elle tourne la tête, tout était à nouveau immobile.

— Je ne vois rien, déclara finalement Jean.

« Faut-il alerter la troupe ? », se demanda Ariane. Elle décida que non. La répétition, comme toutes celles qui avaient eu lieu depuis qu'ils étaient arrivés à Versailles, une semaine auparavant, était déjà suffisamment catastrophique. Les comédiens hésitaient, bafouillaient, massacraient la pièce vers après vers. Quant à Molière…

Molière courait partout. Un instant, il était là, devant la fontaine. L'instant suivant, il donnait des instructions aux ouvriers qui installaient les décors. Puis il allait vérifier l'organisation du grand défilé qui aurait lieu le lendemain, ou bien s'entretenait avec le duc de Saint-Aignan, responsable des divertissements royaux. Et, quand il le pouvait, il s'asseyait dans un coin et griffonnait à la hâte quelques répliques pour *La Princesse d'Élide*. La pièce n'était toujours pas achevée.

Mieux valait ne pas l'inquiéter davantage.

— Tu as vu quelqu'un ? insistait cependant Jean.

— Je ne suis pas sûre…, hésita la jeune fille.

Il sourit, d'un air réconfortant et vaguement supérieur, et souffla :

— Ne t'en fais pas, tu es simplement tendue. C'est parfaitement normal. Après tout, le défilé a lieu demain, et les robes ne sont toujours pas achevées.

« Merci pour le rappel », songea Ariane, en jetant un coup d'œil à la robe de Marquise, étalée sur ses genoux. *Pas achevée,* dans le cas de la robe de printemps, était plus qu'un euphémisme. La jeune couturière n'avait toujours pas la moindre idée de la façon dont elle pourrait bien s'y prendre pour coudre de *vraies fleurs* au taffetas. Comment avait-elle pu être stupide au point de faire une pareille suggestion à Marquise ?

Elle se remit à coudre, sans parvenir à se concentrer. Elle était certaine d'avoir vu quelque chose bouger.

— Je vais vérifier, souffla-t-elle à Jean, en déposant le taffetas sur le rebord de la fontaine.

— Je t'accompagne.

Ils s'approchèrent du bosquet. Bien entendu, il n'y

avait aucune branche cassée, rien qui ne prouvât qu'un intrus s'était caché là.

— Tu vois bien, il n'y a personne ! Allez, viens.

Mais Ariane ne l'écoutait pas. Elle avait les yeux fixés sur une branche rompue, à quelques mètres de là. Exaspéré, le jeune homme la regarda s'enfoncer dans le bosquet. Elle n'allait quand même pas faire l'inventaire de toutes les feuilles du parc ! En soupirant, il la suivit :

— Ariane, tu ne crois pas que…

Il s'interrompit net. Il venait de voir ce qui avait attiré son attention : la branche ne s'était pas cassée seule ! À son extrémité pendait un morceau de tissu effilé.

Ariane s'en saisit, et l'examina : il était petit ; elle n'avait guère entre les doigts que quelques centimètres de soie. De la soie noire. Noire ! Son cœur se mit à battre. C'était une étoffe précieuse. C'était le genre d'étoffe que porterait un homme riche, mais soucieux de sobriété… Elle caressa le tissu du bout des doigts : sa douceur lui rappelait celle des vêtements du comte de Vilez.

La Compagnie les avait-elle suivis à Versailles ?

— Les dévots, chuchota-t-elle.

— Ariane, ce n'est qu'un bout de tissu, tempéra Racine. Il pourrait appartenir à n'importe qui !

« Sauf que "n'importe qui" ne se dissimule pas dans les bosquets », songea la jeune fille. Que complotait encore la Compagnie ?

— Ariane, que veux-tu faire de plus ? Même si c'était les dévots, ils sont nobles, ils ont probablement été invités par le Roi : qui peut les empêcher de se promener dans le parc ?

À contrecœur, Ariane emboîta le pas à Jean, et revint vers la fontaine. Un sentiment profond d'impuissance la submergea. Ne pourraient-ils donc jamais arrêter la Compagnie du Saint-Sacrement ?

Ariane se débattait toujours avec le taffetas vert pâle lorsque Molière s'approcha d'elle :

— Ariane, j'ai demandé à Le Nôtre, le jardinier du roi : il accepte que tu cueilles quelques fleurs, demain, pour la robe de Marquise… Très bonne idée, les vraies fleurs, pour la robe de printemps.

La jeune fille baissa les yeux, profondément embarrassée. Tout le monde parlait de son « idée brillante », et elle n'osait avouer qu'elle ne savait toujours pas comment elle allait se débrouiller pour coudre les fleurs au taffetas. Et surtout pour qu'elles restent fraîches le temps du défilé.

— Merci beaucoup, souffla-t-elle.

— Pas de quoi, sourit Molière.

Il dirigea son attention vers Armande, qui répétait sa scène :

— *Pour moi, ce que je veux, c'est un mot d'entretien*, récitait-elle, *pour, euh…*

Un instant, elle parut hésiter, puis conclut d'un ton ferme :

— … *Pour savoir ce que vous avez sur le cœur. Dites-moi tout.*

— Mais enfin, Armande, tu ne peux pas *inventer* le texte ! protesta Molière. C'est écris en *vers*, il y a des *rimes* !

« Je dois souffler ! » se souvint Ariane.

C'était pour cela que Molière l'avait installée dans le parc, là où répétaient les comédiens, le texte sur les genoux. Sans même regarder le manuscrit, elle retrouva les mots qui manquaient. À force de souffler, elle finissait par s'en souvenir, elle, du *Tartuffe* !

— *Où tout votre cœur s'ouvre et ne me cache rien*, récita la jeune couturière.

Elle se demanda où se trouvait le comte de Vilez. Elle ne l'avait pas revu depuis leur dispute, trois semaines plus tôt, sur le Pont-Neuf. Il avait beau n'être qu'un traître, qu'un dévot, elle pensait constamment à lui. Ses dernières paroles ne cessaient de la hanter… « Ariane, savez-vous combien d'ouvriers meurent chaque jour dans les chantiers de Versailles ? Savez-vous ce que sacrifient les paysans pour les robes de soie que vous faites aux dames de la Cour ? » L'étoffe de taffetas vert qu'elle avait sur les genoux lui parut soudain ridiculement élégante.

Tout à coup, un bruit de pas précipité attira son attention. Elle leva la tête. Élise arrivait en courant ; elle descendait du palais, son panier sur le dos. Ravie, Ariane se leva pour accueillir sa cousine. Elles ne s'étaient pratiquement pas vues depuis leur départ de

Paris, une semaine auparavant, et la jeune fille bouillait d'impatience de montrer à sa cousine la robe de soie dorée d'Armande, qu'elle avait achevée sur ses conseils…

Pourtant, lorsqu'elle fut devant elle, Ariane comprit immédiatement, à l'expression de panique qui marquait le visage de sa cousine, que quelque chose de grave était arrivé.

— Ariane ! Ariane ! articula-t-elle, essoufflée d'avoir couru.

— Qu'est-ce qu'il y a ?

Était-il arrivé quelque chose à Blanchette ? Ou Élise avait-elle un problème avec la robe de lin bleue qu'elle fabriquait pour Louise de La Vallière ? Se plantant au milieu de la troupe, sa cousine lâcha, à bout de souffle :

— Les dévots !

Son complice était là. Ce ne pouvait être que bon signe, songea le marquis de Laval, en s'approchant.

— Alors ? demanda le comte René de Voyer d'Argenson, en le voyant approcher.

— Ils sont dans le parc, répondit Laval. Ils ne se doutent de rien.

— Parfait.

« Ils sont loin de se douter de ce qui va leur arriver », se réjouit le marquis, en revoyant Molière se débattre avec sa troupe d'incompétents. La Compagnie était mille fois plus puissante que ce bouffon de cour, tout amusant qu'il fût, et elle le balayerait d'un revers de la main.

— Et vous ? demanda à son tour le marquis.

— Nous suivons le plan, comme prévu, répondit tranquillement d'Argenson.

Les deux complices échangèrent un sourire satisfait : la Compagnie ne pourrait que les féliciter de ce travail efficace.

— *Il* est avec le roi ? demanda encore le marquis.

— En ce moment même.

— Et pour… hum, le reste, nous agissons demain soir ?

— Exactement.

Une dernière fois, Laval repensa au stratagème qu'ils avaient élaboré. Cela ne pouvait que fonctionner. Le premier coup cet après-midi, le coup de grâce demain soir ! C'était certain : le *Tartuffe* vivait ses dernières heures.

17

Le lin bleu et la soie dorée

Le sang d'Ariane ne fit qu'un tour. Les dévots !
dit Élise. Elle ne s'était pas trompée, tout à
lorsqu'elle avait découvert le bout de soie
dévots étaient à Versailles. Qu'avaie
manigancé pour nuire à Molière ? S
suivait, d'une voix hachée :

— J'étais dans les appartemen
était là, et… ils ont envoyé
convaincre d'interdire le *Tartu*

— Le roi ne va pas céder !

Madeleine avait parlé ave
le sentirent bien, elle formu
qu'une certitude.

— Qui ? insista Moliè

— Un évêque, je crois…, hésita Élise.

Pour la première fois, un éclair de panique passa dans les yeux de Molière. Il cria presque :

— Quel évêque ? Son nom !

Élise, vaguement effrayée par la virulence de sa réaction, bafouilla :

— Je… je ne suis pas sûre. Père… Péréfexe, Préfixe… quelque chose comme ça…

— L'archevêque de Paris ! se désola Jean.

Ariane regarda Molière, puis Racine. De toute évidence, c'était là une nouvelle terrible. Qu'avait-il donc de si affolant, cet archevêque ?

— C'est l'ancien précepteur du roi, expliqua Racine, dévasté, en réponse à sa question muette.

— Le roi n'aime pas les dévots, compléta Molière la voix tendue, mais lui, *lui*, il l'écoute… Il y a longtemps qu'il est arrivé ?

— Non, répondit Élise. J'ai accouru aussi vite que ai pu.

Les comédiens échangèrent des regards terrifiés. dévots avaient réussi à les prendre par surprise ; oute évidence, ils avaient remporté une manche. e considéra Molière : la panique dans ses yeux ait place à une détermination farouche.

y vais, déclara-t-il. Si l'on décide de l'avenir ièce, que ce soit avec moi !

'accompagne, proposa La Grange.

ile.

Et, sans ajouter un mot, il se précipita vers le château. À le voir ainsi courir, Ariane se sentit gagnée par l'appréhension. Les dévots ne le laisseraient pas interrompre si aisément l'entretien. Et si quelqu'un l'attendait au château ? Et si, une fois de plus, Molière se faisait attaquer ?

Pourtant, malgré sa profonde angoisse, Ariane devait bien reconnaître que le comédien avait raison de courir ainsi vers le palais. C'était une lutte sans merci ; et s'il restait une chance, aussi maigre qu'elle fût, de sauver le *Tartuffe*, il fallait la saisir.

— Merci, Élise, souffla Ariane à sa cousine, qui se tenait toujours à son côté.

Élise ne répondit rien. Comme les membres de la troupe, elle avait les yeux fixés sur Molière. Soudain, le comédien tourna à l'angle d'une allée, et le feuillage épais d'un bosquet le dissimula aux regards. Il lui faudrait encore plusieurs minutes pour parvenir jusqu'au château, songea Ariane.

Le silence était oppressant.

« N'y a-t-il donc rien à faire ? se désespéra Ariane. Rien à faire que de rester plantés là, à attendre que Molière arrive au palais ? » C'était insupportable. La jeune fille fit quelques pas, pour s'éloigner du groupe immobile, crispé et silencieux. Élise la suivit.

— J'espère qu'il va réussir, dit sa cousine.

Et à nouveau, ce fut le silence. C'était insoutenable ! Il fallait trouver quelque chose à faire, quelque chose à dire, n'importe quoi, pour meubler les secondes qui s'écoulaient, intolérablement longues.

— J'ai terminé la robe dorée, finit par soupirer Ariane.

— J'ai fini la robe de lin bleue, répondit Élise.

Achever ces robes avait été leur but de ces dernières semaines. Élise ne parvenait pas à faire la robe simple, élégante que lui avait réclamée Louise ; Ariane peinait à réaliser la robe dorée dont rêvait Armande. Combien d'heures n'avaient-elles pas passé sur ces dessins, à échanger conseils et encouragements. Et tout cela semblait tellement dérisoire, à présent !

Molière, dissimulé par les bosquets, ne reparaissait toujours pas. Ariane avait beau savoir que, de l'endroit où ils étaient, il fallait plusieurs minutes pour se rendre au palais, elle ne put s'empêcher d'imaginer les dévots tapis dans le parc, prêts à attaquer le comédien. Son ventre se noua. Il était peut-être en train de se faire agresser, à l'instant même ! Élise avait dû percevoir sa tension, car elle demanda, dans le but évident de la distraire :

— Je peux voir la robe dorée ?

Ariane acquiesça. Après tout, cette robe était presque l'œuvre d'Élise ; jamais elle n'aurait pu l'achever sans ses suggestions. Combien de détails n'avait-elle pas soufflés, combien d'ornements n'avait-elle pas choisis ? Ariane s'approcha de son panier, et déplia la robe de l'Âge d'or. C'était une robe de soie dorée, lourde, majestueuse, imposante. Le corset était ajusté, mais la jupe se déployait en vagues scintillantes. Elle était entièrement cousue d'ornements brillants qui captaient la lumière, de rubans qui semblaient froufrouter à l'infini, de mètres et de mètres d'étoffe qui agrippaient les regards. Mais Ariane l'observait distraitement : elle avait les yeux fixés sur l'allée où avait disparu Molière.

— Mon dieu ! Ariane, je n'ai jamais rien vu de si splendide. C'est à couper le souffle... c'est..., bafouilla Élise.

— C'est grâce à toi, répondit Ariane. Jamais je n'aurais su faire ça seule.

Le silence retomba, plus insupportable qu'auparavant. Molière était toujours invisible. Il devait marcher dans le bosquet ; dans une minute, tout au plus, il déboucherait devant le palais.

Elles attendirent en comptant les secondes. Tout à coup, Molière reparut. Ariane respira profondément : au moins, il n'avait pas été attaqué par les dévots, ainsi qu'elle l'avait craint. Il approchait du château : il ne lui restait plus, à présent, qu'à aller trouver le roi. À ce moment, un grand remous se fit près de l'entrée. Plusieurs personnes sortaient du palais. Des courtisans. Ils descendaient vers le parc. Au même instant, Ariane et Élise reconnurent le jeune homme qui marchait en tête : c'était le roi.

Molière, passant devant le petit groupe, plongea dans une profonde révérence.

De loin, les comédiens étaient suspendus à la

conversation, sans en comprendre un mot. Le roi parlait. À cette distance, il était impossible de distinguer s'il souriait, ou arborait un air sévère. Molière acquiesçait à ses propos, visiblement avec une grande déférence.

Le roi soutenait-il Molière ou, au contraire, était-il en train d'interdire le *Tartuffe* ?

Le cœur d'Ariane battait à tout rompre. Ce que Molière répondait à présent, était-ce un remerciement assorti de compliments, ou bien une dernière supplication pour la pièce interdite ? Jouerait-on le *Tartuffe* ?

Au fond, Ariane en était consciente, il ne s'était pas écoulé plus de cinq minutes entre l'arrivée du roi et l'instant où il tourna les talons et poursuivit sa promenade dans le jardin. Pourtant, tous les détails de cet échange dont elle n'entendait rien s'imprimaient dans son œil : les saluts répétés de Molière, l'assurance du roi, la curiosité des courtisans qui les entouraient…

Puis le roi s'éloigna, et Molière se remit en marche à travers le parc. Ariane soupira : une seconde fois, il fallait attendre. Il faudrait plusieurs minutes au comédien pour redescendre jusqu'à l'endroit où se trouvait la troupe.

Rongée par l'impatience, Ariane se força à oublier momentanément Molière, le roi, et cette conversation qui, de loin, lui avait semblé être une bataille épique pour la vie du *Tartuffe*.

— La robe de lin bleue ? demanda-t-elle simplement.

Sans un mot, Élise posa son panier au sol, et en sortit la robe qu'elle venait de terminer pour Louise de La Vallière. Celle-ci flotta un instant dans la brise légère du parc. Elle était d'une sobriété incroyable, et pourtant sa légèreté, sa finesse, lui conférait une allure presque fantastique qui captivait le regard. C'était la beauté dans son état le plus pur, le plus naturel ; agitée par le vent, elle ressemblait à un morceau de ciel.

— Bravo. C'est parfait, dit Ariane.

C'était exactement la robe qu'elle avait imaginée, des mois auparavant, lorsqu'elle rêvait à une tenue pour Louise ; une robe légère, vaporeuse, « comme une bouffée d'air au milieu des costumes empesés de la Cour. » Il avait suffi qu'elle en suggérât l'idée à Élise pour qu'immédiatement, celle-ci réalise le croquis dont elle avait rêvé. Les deux cousines échangèrent un sourire : il était revenu, le temps où elles travaillaient ensemble, échangeant leurs idées, nourrissant les projets l'une de l'autre.

Enfin, Molière se trouva devant eux. Son visage était défait, terreux ; sur son front perlait une goutte de sueur. Il leur faisait face, chancelant ; personne n'osa l'interroger. Finalement, il lâcha :

— Une représentation.

« Que veut-il dire ? se demanda Ariane. Que lui a

dit le roi ? » Molière laissa échapper un profond soupir et ajouta :

— Nous n'avons le droit qu'à une représentation du *Tartuffe.*

Les comédiens se perdirent en exclamations. Le roi était-il devenu fou ?

— Nous pouvons jouer la pièce à Versailles, devant la Cour, expliqua Molière. Mais pas à Paris, devant le peuple. Apparemment, le roi craint que cette pièce ne donne de mauvaises idées aux gens…

— Mais c'est ridicule ! s'insurgea Madeleine.

— Le roi tient sa couronne de Dieu, poursuivit Molière, amer. Alors, évidemment, il n'a pas trop intérêt à laisser jouer une pièce où l'on montre que la religion est un moyen de prendre sur les gens un pouvoir abusif !

— Sans parler des évêques, des archevêques, des cardinaux, des abbés, et de tous ces prélats qui tiennent leur pouvoir de la crainte qu'inspire Dieu, compléta Madeleine.

— Nous allons y perdre une fortune ! Quand je pense à tous les costumes, tous les décors que nous avons achetés ! s'exclama La Grange, atterré.

— Il y a certainement quelque chose à faire, insista Marquise, pour que le roi change d'avis. Il faut se battre !

Ariane lui jeta un regard un peu méprisant. Ne voyait-elle donc pas que Molière ne faisait que ça, se battre, depuis des mois ? Qu'il y laissait son énergie, son sommeil, sa santé, et que cela même n'était pas suffisant ?

— Que peut-on faire, Jean-Baptise ? demanda Madeleine.

Molière la regarda avec un vague sourire.

— Faire rire le roi.

— Quoi ?

— Si le *Tartuffe* que nous jouons devant la Cour fait rire le roi, peut-être qu'il changera d'avis.

« C'est notre seule chance », admit intérieurement Ariane. Comme toujours, il fallait plaire au roi, à ce jeune homme de vingt-six ans qui décidait de leur survie, des pièces qu'ils pouvaient ou ne pouvaient pas jouer. Les dévots avaient remporté la première manche, mais la troupe n'avait pas dit son dernier mot. Elle jouerait le *Tartuffe*, et le roi autoriserait la pièce. Il le fallait.

Soudain, un frisson parcourut la jeune couturière. Les dévots, qui semblaient toujours avoir sur eux une longueur d'avance, ne chercheraient-ils pas à saboter la représentation ? Elle était certaine, sans savoir pourquoi, qu'ils ne s'arrêteraient pas là. D'ici peu, ils frapperaient à nouveau.

18

La robe couleur de printemps

« Je n'y arriverai pas, songea Ariane. C'est impossible, je n'y vois rien. » La panique commençait à l'envahir. Elle était là, seule dans la grange obscure, au milieu des comédiens endormis, à coudre sans relâche. Elle aurait donné n'importe quoi pour s'étendre sur une des couchettes de fortune, et pour s'endormir quelques heures. Mais elle devait achever la robe.

Jamais elle n'avait autant haï une robe que cette robe couleur de printemps. Et dire qu'elle devait être prête le lendemain matin ! Que le lendemain soir, Marquise la porterait lors du grand défilé, devant toute la Cour, devant le roi !

Alors, à la lueur d'une chandelle, Ariane cousait. Elle était obligée de tenir le tissu dangereusement proche de la flamme, si elle voulait y voir assez pour travailler.

« La robe ne sera jamais achevée à temps ! » se désespérait-elle, en empoignant rageusement le taffetas vert qui glissait entre ses doigts.

Il restait à terminer les broderies argentées, à coudre les engageantes, ces dentelles qui dépassaient des manches courtes, et surtout, surtout, à fixer les fleurs. Elle n'avait pas la moindre idée de la façon dont elle allait s'y prendre pour coudre de vraies fleurs à la robe ! Elles faneraient au bout d'une heure !

Soudain, la jeune fille entendit un craquement. Effrayée tout à coup, elle souffla la bougie. Un intrus s'était-il introduit dans la grange ?

La jeune fille se leva et s'avança à tâtons. Le bruit était venu de l'entrée. Les dévots avaient-ils l'intention d'attaquer la troupe ? Tremblante, Ariane se pencha, et distingua une silhouette dans la nuit. C'était une femme. Elle tenait une chandelle, et…

Soulagée, Ariane reconnut Élise.

— Qu'est-ce que tu fais là ? chuchota-t-elle. Tu ne dors pas ?

— Tu ne dors pas non plus, répondit simplement sa cousine.

Élise s'approcha à pas feutrés et s'assit sur le sol, à côté d'Ariane.

— J'ai fini les retouches de la robe de lin bleue de Louise, expliqua-t-elle. Elle était absolument aux anges ; elle n'a cessé de dire qu'elle n'avait jamais rien porté de si beau. Maintenant, je viens t'aider.

Ariane sentit son cœur se gonfler de reconnaissance et de tendresse pour sa cousine.

— Tu dois être épuisée, répondit-elle pourtant. Ne t'en fais pas pour moi, va te coucher.

De la tête, Élise fit « non ». Puis, délicatement, elle saisit le taffetas, et murmura :

— Je m'occupe des manches.

Ariane sourit. Et dire que, quelques minutes plus tôt, elle avait été si seule, à en pleurer de désespoir. À présent, avec Élise à ses côtés, elle se sentait tout à fait capable d'affronter la robe de printemps. Elle recommença à coudre, lentement.

Au bout d'un moment, Élise demanda, mine de rien :

— Le comte de Vilez n'est pas à Versailles, non ?

Ariane sentit ses muscles se figer. Antonin. Elle faisait tout pour ne pas songer à lui, pour oublier qu'ils s'étaient jamais croisés, et voilà qu'Élise le rappelait à son souvenir. À nouveau, la douleur se répandit dans sa poitrine, vive comme le jour où elle avait découvert sa trahison.

— Je ne sais pas, répondit-elle, et je m'en moque.

C'était un mensonge ; tous les jours, plusieurs fois par jour, elle se demandait où il pouvait bien être. S'il était à Versailles avec la Compagnie. Ce qu'il faisait. Ce qu'il pensait. S'il pensait à elle... Sa tête se mit à bourdonner, et, une nouvelle fois, il lui sembla entendre la voix grave du jeune homme qui s'indignait. « Savez-vous ce que sacrifient les paysans pour les robes de soie que vous faites au dames de la Cour ? »

Allongé dans son lit, Antonin fixait les rideaux pourpres du baldaquin. Il ne s'endormirait pas, il le savait parfaitement. Il ne comptait plus les nuits sans sommeil, passées à attendre. Attendre quoi ? Que les secondes passent, que la douleur s'amenuise ?

Bientôt, les premières lueurs de l'aube se glisseraient entre les rideaux ; à ce moment-là, peut-être, la douleur aurait laissé place à l'épuisement, et il s'assoupirait un instant. Il n'était pas sorti de chez lui depuis trois semaines. Assailli par un profond sentiment de désespoir, il se retourna entre les draps.

Ce qui le torturait le plus, c'était qu'Ariane était sûrement à Versailles. Il aurait suffi qu'il se lève, qu'il scelle son cheval et qu'il galope quelques heures pour la retrouver. Il n'aurait pas besoin de lui parler ; il pourrait juste passer dans le parc, près de la troupe, et l'apercevoir un instant. La tentation était intolérable.

Il se sermonna : il ne devait pas céder. Il ne devait pas la revoir. Il fallait qu'il se concentre sur ce qui avait toujours été son but : la Compagnie. Pendant des mois, il n'avait songé qu'à une chose : faire le Bien. Transformer le royaume de France. Comment toute cette pureté, tous ces idéaux, ces certitudes, pouvaient-ils sembler si lointains, si dérisoires ?

Pourtant, il entendait sa voix : « Antonin, cette Compagnie, ce sont des gens dangereux. » Elle avait tort, il le savait. La Compagnie agissait au nom de Dieu, et qui veut la fin veut les moyens. On ne pouvait pas juger leurs méthodes… Pourtant, songeant à la nuit où Planchin avait attaqué Ariane, une bouffée de rage brûlante envahit le jeune homme.

« Je dois l'oublier », se sermonna-t-il. Un sourire amer se posa sur ses lèvres. C'était impossible, il le savait. Mais, au moins, il ne céderait pas. Il resterait chez lui ; il n'irait pas à Versailles, il ne chercherait pas à revoir Ariane.

« Je dois l'oublier, songea Ariane. Je ne dois plus jamais penser au comte de Vilez. » Où qu'il fût, quoi qu'il fît, elle n'avait pas à s'en soucier. Ce dont elle devait se soucier, c'était de la robe couleur de printemps de Marquise qui n'avançait pas. Elle était en train d'achever le haut du costume – la pièce d'estomac – mais il restait encore tant à faire ! Élise dut sentir à quel point elle était tendue, car elle chuchota :

— La robe sera prête à temps, ne t'en fais pas.

— Mais je ne sais toujours pas comment je vais fixer les fleurs ! Elles faneront en cinq minutes. Toute la Cour va voir cette robe, et j'aurai définitivement la réputation d'une incapable !

À la lueur tremblante de la chandelle, Ariane distingua le sourire de sa cousine. Élise se moquait d'elle ! Outragée, la jeune fille la foudroya du regard.

— Ce n'est pas drôle, remarqua-t-elle sèchement.

À présent, Élise riait franchement :

— Oh, Ariane, tu te souviens ? La robe de Mme Antoine ?

Et, soudain, la jeune couturière comprit pourquoi sa cousine riait ainsi, au risque de réveiller toute la troupe. La robe de Mme Antoine… Comment aurait-elle pu oublier ?

Elle se souvenait de son arrivée chez sa tante. Elle avait débarqué seule chez Blanchette, et celle-ci l'avait aussitôt mise au travail. Ariane se revoyait parfaitement, pénétrant dans l'atelier, intimidée. La pièce lui avait paru immense ; dans un coin se trouvait Élise, en train de coudre une robe de deuil. La robe de Mme Antoine. C'était une tenue très grossière, destinée à une bourgeoise peu aisée – en ce temps-là, la clientèle de Blanchette n'était pas aussi raffinée qu'elle l'était aujourd'hui.

Mais, lorsque Blanchette avait laissé Ariane avec Élise, ordonnant à sa fille de lui montrer ce qu'il fallait faire, la fillette avait éclaté en larmes. Au grand étonnement d'Élise, elle avait expliqué entre deux sanglots que la robe était bien trop belle, qu'elle n'oserait jamais y toucher, qu'elle était incapable de coudre. Rétrospectivement, son effroi devant une tenue aussi rudimentaire avait effectivement de quoi amuser.

— Je ne vois pas le rapport, répliqua pourtant Ariane à Élise.

— Mais, Ariane, c'est exactement la même chose ! Tu ouvres des yeux effrayés alors que personne n'est plus capable que toi de faire cette robe !

Élise avait vraiment l'air de s'amuser ; exactement comme elle s'était amusée, six ans plus tôt, de la panique manifestée par cette cousine juste arrivée de la campagne. Ariane revoyait parfaitement son sourire moqueur, qui s'était fait peu à peu réconfortant ; il lui semblait entendre à nouveau les paroles qu'elle avait prononcées. « Ne t'en fais pas, je vais t'aider, je vais t'apprendre. »

Et elle l'avait aidée. Elle l'avait aidée, constamment, jusqu'au jour où elles s'étaient rendues à Versailles pour livrer la robe de Louise de La Vallière.

Tandis qu'Élise achevait les manches, Ariane resta les yeux fixés sur la pièce d'estomac dans laquelle il faudrait coudre des fleurs. Celles-ci, privées d'eau, ne tiendraient jamais toute la soirée !

Les deux cousines continuèrent à coudre en silence. Leurs visages, penchés au-dessus de la bougie, se touchaient presque. De temps en temps, une réplique traversait le silence : « Tu veux que les manches soient brodées d'argent, elles aussi ? » demandait Élise, ou : « Il reste de la dentelle dans le coffre », chuchotait Ariane.

Soudain, au lieu de lui demander des ciseaux, une aiguille, ou un morceau de tissu, Élise murmura, d'une voix à peine audible :

— Ariane, tu ne peux pas savoir à quel point je

me déteste. Il y a des moments où j'ai tellement honte que j'ai l'impression que ma tête entière est en train de brûler. Je voudrais cesser d'y penser, mais c'est impossible.

Elle avait dit tout cela sans lever la tête. Ariane s'arrêta de coudre, stupéfaite. De quoi parlait-elle donc ? Qu'avait-elle fait, et pourquoi avait-elle honte ?

— La robe de Louise de La Vallière. Je revois ces minutes-là encore et encore, je revois maman dire… et moi, je me taisais… Je ne sais pas ce qui a pu me prendre. Je t'ai trahie, je t'ai laissée tomber.

Elle pleurait, à présent. Des larmes coulaient le long de sa joue et brillaient à la lueur de la chandelle.

— Je suis tellement désolée. Je suis prête à faire n'importe quoi pour que tu me pardonnes.

— Je t'ai pardonné.

En disant ces mots, Ariane réalisa que c'était vrai. Pour la première fois depuis des mois, elle respirait librement ; pour la première fois, elle était presque heureuse. Elles continuèrent à coudre en silence pendant de longues minutes, des heures peut-être. Les paupières d'Ariane était de plus en plus lourdes.

Soudain, elle sentit sa tête se faire pesante : le poids de son corps était insoutenable. Son bras heurta le plancher, et elle s'endormit.

Ce fut la lumière qui la réveilla.

Paniquée, elle se leva d'un bond, et regarda autour d'elle. Le jour était levé, depuis plusieurs heures certainement. Les acteurs avaient quitté la grange. Qui sait ? Peut-être le défilé était-il sur le point de commencer ? Et le costume de printemps qui n'était pas prêt !

Vite, elle attrapa ses aiguilles, tendit la main pour saisir la robe. Mais celle-ci avait disparu. Sur le plancher, seule demeurait la chandelle entièrement consumée. La robe de Marquise s'était envolée.

Le sang d'Ariane ne fit qu'un tour. Avait-on volé le costume ? Immédiatement, elle songea aux dévots. Elle appela Élise. Peut-être avait-elle déposé la robe quelque part ? Mais sa cousine ne répondit pas. De toute évidence, elle était, elle aussi, allée se coucher…

Elle se précipita dans le jardin, et fut éblouie par le soleil. Il inclinait déjà vers l'ouest : l'après-midi commençait. Il lui restait quelques heures à peine avant le défilé, pour retrouver la robe, et la finir. Et les fleurs ! Comment allait-elle coudre les fleurs ?

Elle courut à travers le jardin, à la recherche de la troupe. Immédiatement, elle aperçut Molière. Il donnait des ordres aux ouvriers, aux dompteurs d'animaux, aux comédiens, aux figurants, dirigeant à lui seul un immense ballet.

Ariane chercha Marquise des yeux. Elle devait être furieuse de n'avoir pas encore sa robe. Qu'est-ce qu'elle allait bien pouvoir lui dire ?

Soudain, elle sursauta. Un animal extraordinaire venait de déboucher au coin de l'allée. Il était gris, énorme, avec d'étranges oreilles et une sorte d'immense nez au milieu de la tête.

— Faites avancer l'éléphant ! cria Molière.

Ariane regardait l'animal marcher, fascinée. Elle n'en avait jamais vu de semblable. Et derrière l'éléphant approchaient d'autres animaux incroyables. Un immense cheval s'avançait, à présent, portant une femme… Ariane retint une exclamation : cette femme, c'était Marquise, Marquise qui portait une robe de taffetas vert pâle.

« La robe couleur de printemps ! réalisa Ariane. Et le buste est recouvert de fleurs, de vraies fleurs, exactement comme je l'avais imaginé ! »

— C'est impossible ! s'exclama-t-elle.

— Très bon travail, Ariane, sourit Molière. Quelle fraîcheur ! Et ces fleurs…

Ariane n'y comprenait plus rien. Comment la robe était-elle arrivée là ? Elle semblait achevée : les fleurs étaient cousues et n'avaient pas l'air d'être sur le point de faner.

— Où l'avez-vous trouvée ? demanda-t-elle.

— Mais voyons ! C'est ta cousine qui nous l'a apportée à l'aube. Elle nous a dit que tu l'avais finie dans la nuit. Ne t'en fais pas, elle nous a bien expliqué que tu avais installé une poche dans le corsage, à remplir de chiffons humides, pour que les fleurs ne fanent pas…

Rembourrer le corsage, pour en faire un réservoir

d'eau… C'était simple, mais brillant, réalisa la jeune fille.

Ariane jeta à Marquise, assise sur sa monture, un coup d'œil émerveillé. Il lui semblait soudain qu'elle n'avait jamais vu une robe aussi belle. Non pas parce que le taffetas vert chatoyait grâce aux broderies d'argent ; ni à cause des fleurs qui semblaient jaillir du corsage, pour célébrer le renouveau de la nature, la renaissance des saisons. Non, Ariane était émerveillée parce que cette robe, c'était Élise qui l'avait achevée. Pour elle.

19

Les tenues du défilé

— Tout est prêt, annonça le marquis de Laval aux dévots assemblés. Nous pouvons agir.

Le petit groupe dissimulé dans les bosquets de Versailles laissa échapper un murmure de satisfaction.

— Nous attendrons que la nuit soit tombée, précisa René d'Argenson.

Un sourire menaçant déforma ses lèvres, et il ajouta :

— Dans quelques heures, Molière et sa troupe seront trop occupés avec le défilé et le repas du roi pour nous opposer la moindre résistance.

Ses acolytes approuvèrent. S'ils voulaient éviter d'attirer l'attention des comédiens – ou, pire, des serviteurs et des soldats du roi – mieux valait effectivement profiter de l'obscurité pour agir.

— Tout le monde se souvient de ce qu'il doit faire ? reprit d'Argenson. Loyseau ?

— Je surveille les fêtes.

— Poncet ?

— J'entre dans la grange.

— De Morangis ? Gambar ? D'Espons ?

— Nous montons la garde devant la grange, pendant qu'il agit.

— Laval ?

— Nous nous retrouvons tous à la Ménagerie. Au milieu des enclos des animaux, le roi est en train de faire construire une grotte. C'est loin de tout, personne n'y vient jamais – surtout la nuit. Une cachette idéale.

Ils échangèrent un sourire retors : cette fois-ci, leur plan ne pourrait que fonctionner. Ils avaient trouvé le moyen idéal d'empêcher la représentation du *Tartuffe*.

Sans ajouter un mot, ils se dispersèrent. Il fallait éviter qu'on ne les surprît en plein conciliabule. Depuis des années, le roi les persécutait, et le moment aurait été mal choisi pour attiser son courroux.

— Laval ! rappela cependant René d'Argenson, comme le marquis s'éloignait.

— Qu'y a-t-il ?

— N'aurons-nous pas le plaisir de compter votre filleul dans nos rangs, ce soir ? Lui qui a tant fait pour notre Compagnie ?

Le marquis soupira, soucieux :

— Mon filleul est malade.

— Oh ! se désola le comte. J'en suis navré. De quoi souffre-t-il ? Rien de grave ?

Laval hésita un instant. Devait-il faire part de ses doutes à d'Argenson ? Il décida que oui. Après tout, celui-ci pourrait être de bon conseil :

— Je crains que son âme ne soit plus en danger que son corps.

— Que voulez-vous dire ?

— Il n'est pas sorti de chez lui depuis près de trois semaines. Les rares fois où je l'ai vu, il m'a paru tourmenté, exactement comme il l'était après la mort de son père. J'ai grand peur, hélas, qu'au contact de Molière il n'ait vu sa foi… hum, vaciller. Il semble moins dévoué à notre cause.

— Craignez-vous qu'il ne nous trahisse ? s'inquiéta le comte.

Laval réfléchit quelques secondes. Que signifiait l'étrange comportement d'Antonin ? Il pensa au jeune homme qu'il avait éduqué, auquel il avait tout appris.

— Il ne nous trahira pas, déclara-t-il finalement, d'un ton lent, en pesant ses mots.

Il resta songeur encore un instant, puis ajouta :

— Mais il vaut mieux pour nous tous qu'il ne vienne pas à Versailles.

— Êtes-vous prêtes ? demanda Molière à ses comédiennes, pour ce qui sembla à Ariane être la centième fois de la journée. Il est six heures moins cinq.

Elles étaient prêtes ! La robe de printemps, la robe dorée, toutes étaient parfaitement ajustées ; le moindre ruban avait été vérifié à plusieurs reprises ; chaque dentelle, chaque ornement, cousu et recousu. Les comédiennes étaient perchées sur leurs montures ; Armande, vêtue de la robe de l'Âge d'or, trônait en haut du char immense qui devait la porter jusque devant la Cour.

La troupe, dissimulée derrière des arbres, observait la noblesse qui déferlait dans les jardins de Versailles. Des portiques et des palissades, ornés d'or et de peintures, avaient été installés à un carrefour, et c'était là que prenaient place près de six cents courtisans.

Soudain, le son retentissant des trompettes et des timbales fit sursauter Ariane. Le défilé commençait ! Son cœur s'emballa ; jamais elle n'avait été à ce point assaillie de panique et de joie. Il était enfin venu, le moment qu'elle attendait depuis des mois ! Dans quelques minutes, ses robes défileraient devant la Cour !

Accompagnés d'une musique martiale, des cavaliers vêtus à la mode antique pénétrèrent dans le bosquet.

— Regardez ! C'est d'Artagnan ! souffla Marquise.

Ariane écarquilla les yeux. D'Artagnan ! Le célèbre lieutenant des mousquetaires ! Son bouclier était recouvert de pierreries dessinant un soleil, hommage à Louis XIV. La musique se fit plus forte ; Ariane sentait le bruit des percussions qui résonnait dans sa poitrine.

Et, soudain, le roi parut. À la vue du jeune souverain, éblouissant sur sa monture, l'assistance sembla retenir son souffle. Ariane elle-même laissa échapper un « oh » ébahi. Déguisé en Roger, un célèbre héros du Moyen Âge, il portait une cuirasse décorée d'or, d'argent et de diamants. Même le harnais de son cheval était couvert de pierres précieuses !

Soudain Ariane comprit. Toute cette peine qu'ils s'étaient donnés, ce n'était pas pour distraire la Cour. Ni pour l'amour du spectacle. Il s'agissait simplement de rendre le roi inoubliable ; il fallait faire en sorte que la noblesse soit fascinée par son souverain.

Une vague d'amertume envahit la jeune fille. Tant d'argent, tant de travail, tant de beauté, pour faire comprendre au royaume que Louis XIV était un peu plus qu'un homme, déjà presque un dieu… Au fond, peut-être qu'Antonin avait raison. Peut-être que Molière n'était qu'un valet du roi, au service de son orgueil et de ses frasques.

Soudain, elle se figea. Derrière l'immense portique, elle avait reconnu le char des comédiens. Au sommet, La Grange, le jeune premier de la troupe, était déguisé en Apollon. À ses côtés, costumés en allégories quatre âges, se trouvaient Armande, Hubert, Catherine et Du Croisy.

Et quand Armande se dressa face à la Cour assemblée pour déclamer ses vers en l'honneur de la reine – ou peut-être, personne ne savait trop, de Louise de La Vallière – un murmure d'approbation accompagna son mouvement. Les femmes de la Cour se penchèrent pour admirer sa toilette et se mirent à murmurer. Rien n'aurait pu incarner avec plus de justesse le siècle d'or, les origines mythiques de l'humanité. La robe paraissait arrachée à un monde perdu, merveilleux et utopique. Le soleil, qui inondait le parc de ses rayons, faisait scintiller le tissu ; Armande aurait pu être une déesse juste descendue du ciel pour célébrer le roi.

Ariane sourit. La rumeur sourde et les applaudissements épars prouvaient qu'elle avait réussi. Plus que les tenues des cavaliers, plus que celles de courtisans et même que celles des princesses, cette robe incarnait la splendeur de Versailles.

La course de bague allait commencer. Discrètement, Ariane sortit du buisson qui lui servait de cachette. Elle se moquait bien de voir le roi et les ducs galoper de droite à gauche en essayant d'attraper la bague suspendue. D'autant que, bien sûr, les courtisans laisseraient le roi gagner.

Elle fit quelques pas dans l'allée, en songeant au spectacle époustouflant auquel elle venait d'assister. Un spectacle capable de faire oublier aux courtisans leurs mécontentements, leurs rancunes. Capable de les convaincre une fois pour toutes que leur maître incontesté était Louis XIV, le Roi-Soleil.

Soudain, un craquement de branche attira son attention, non loin, dans un bosquet. Immédiatement, elle fut sur le qui-vive. Elle tendit l'oreille. Le craquement se répéta, quelque part, dans son dos. Elle se retourna, assez vite pour distinguer une silhouette noire qui s'enfonçait entre les arbres.

« Les dévots ! » songea-t-elle.

De toute évidence, ils manigançaient encore quelque chose. Peut-être même avaient-ils l'intention d'agir dès ce soir ? Sans réfléchir, Ariane se précipita à la suite de l'ombre. Cette fois-ci, ils allaient payer !

Les branchages entravaient sa route, mais elle courait aussi vite que possible. Au loin, elle distinguait l'espion qui fuyait. Il était vêtu de noir, un tissu noir qui lui rappelait confusément l'étoffe qu'elle avait trouvé dans les buissons, la veille.

Trébuchant, chancelante, Ariane courait toujours, mais l'homme était plus rapide. Bientôt, il serait hors de vue. Dans un dernier effort, elle hurla :

— Arrêtez !

À son grand étonnement, l'individu s'immobilisa, comme paralysé par sa voix. Il lui tournait toujours le dos ; Ariane s'approcha d'un pas rapide. Était-ce sa silhouette qu'elle reconnut en premier ? Ses mains, ses poings serrés, tendus ? Tout à coup, elle réalisa qu'elle se trouvait face au comte de Vilez.

Une douleur vive et incontrôlable s'empara d'elle.

Il travaillait toujours pour la Compagnie ! Mais qu'avait-elle espéré ? Qu'il renie ses complices ? Qu'il abandonne tout ? Pour elle ?

Lentement, très lentement, il se retourna.

Son visage était très pâle ; il semblait ravagé par un sentiment violent qu'elle ne parvenait pas à comprendre. Seuls ses yeux bleus demeuraient impénétrables, flous, hantés d'une lueur à la fois pétillante et fiévreuse.

Puis, doucement, un sourire étira ses lèvres, creusant ses joues de deux petites rides délicates. Ariane retint son souffle, outrée : il osait lui sourire ! Après l'avoir une fois de plus trahie, espionnée !

— Je n'ai pas résisté, souffla-t-il. Ariane, il fallait que je vienne à Versailles ; il fallait que je vous…

— Comment osez-vous ? s'insurgea-t-elle. Comment osez vous nous espionner ?

Visiblement surpris par cette attaque, le comte répondit simplement :

— J'avais besoin de vous voir.

— Vous aviez besoin de renseignements sur la troupe, oui !

Le comte reprit, la voix grave :

— Je voulais vous voir, vous, Ariane !

— Eh bien moi, je ne veux plus vous voir, jamais !

Une lueur blessée passa dans ses yeux qui se firent soudain plus froids, presque glacials.

— Vous êtes un dévot ! cria encore Ariane, espérant malgré elle qu'il la contredise, qu'il lui annonce qu'il avait renoncé à la Compagnie, qu'il l'aimait.

— Oui, je suis un dévot, répondit-il, de ce ton tranquille et menaçant qui l'avait tant impressionnée lors de leur première rencontre.

Ils se turent. Antonin la scrutait intensément, comme s'il espérait d'elle un pardon, un encouragement.

— Vous faites partie de la Compagnie, et la Compagnie ne cesse de nous attaquer, poursuivit-elle.

Il baissa les yeux, tourmenté. Il semblait prêt à dire quelque chose, prêt à se justifier, mais ses lèvres demeurèrent closes. Ariane soupira. Il n'y avait rien à expliquer. Elle était amoureuse, prête à croire n'importe quel mensonge, alors que la vérité était là, sous ses yeux : Antonin était son ennemi. Tâchant de rendre son ton aussi calme et froid que possible, elle répéta :

— Je ne veux plus jamais vous voir.

Elle tourna les talons, et s'enfonça dans le bosquet d'un pas posé, sans un regard en arrière.

Ariane se mit à trembler, et des larmes inondèrent ses yeux. Elle marchait sans but. La nuit commençait à tomber : les jardins de Versailles se dressaient autour d'elle, fantomatiques, baignés d'ombres. Les arbres, les bosquets, les fontaines même semblaient irréels, comme arrachés à un songe. Elle croisa des serviteurs masqués, chargés de bougies blanches par centaines.

De très loin, la rumeur du banquet royal lui parvenait. Des rires fusaient ici et là, entre les arbres ; le chant joyeux des violons inondait les jardins. Soudain Ariane ne supporta plus cette gaieté artificielle. D'un pas pressé, elle remonta vers la grange, où le silence, au moins, lui laisserait le loisir de penser.

Le logis des comédiens était désert : en ce moment même, ils servaient le dîner du roi. En soupirant, Ariane s'assit sur un des matelas de fortune. Le succès évident de ses robes ne parvenait pas à la réconforter : elle ne songeait qu'au comte, et à la Compagnie. Pourquoi ne parvenait-elle pas à admettre qu'Antonin était son ennemi, et à l'oublier ?

Peu à peu, vaincue par les larmes et par la fatigue, Ariane s'étendit. Elle était à demi assoupie lorsqu'un bruit retentit dans le fond de la pièce. Épuisée, elle n'eut pas la force d'ouvrir les yeux. Un second craquement résonna. Puis un troisième. Se redressant, Ariane jeta un coup d'œil à la ronde.

Ce qu'elle distingua la glaça d'effroi. Dans le fond de la grange, un dévot avait entrepris de fouiller les affaires de la troupe. Il vidait les coffres, éparpillait les vêtements, sans égards. Dans sa main droite, se trouvaient des liasses de papier. Ariane retint son souffle : les manuscrits ! Les textes de Molière ! De toute évidence, c'était ce qu'il était venu voler.

Il fallait l'arrêter ! En silence, la jeune fille se glissa jusqu'à ses affaires de couture, et, fébrilement, fouilla son sac à la recherche d'une paire de ciseaux. Elle écarta ses aiguilles, ses chutes, remua ses tissus… Tout à coup, elle les vit : ils étaient là, tout au fond. D'un geste nerveux, elle les extirpa du sac. Mais, dans sa précipitation, elle remua les bobines ; deux d'entre elles, des fils rouges, glissèrent du sac. D'un geste vif, elle rattrapa la première, mais la seconde tomba. Elle heurta le plancher avec un bruit sec. Immédiatement, l'intrus se retourna. Il s'approcha d'un pas nerveux. Et la bobine roulait au sol avec un bruit terrible ; elle se dévidait, et laissait derrière elle une traînée rouge, comme un chemin tracé jusqu'à la cachette de la jeune fille.

Lorsque l'intrus fut devant elle, il jeta un regard ironique aux ciseaux qu'elle tenait entre les doigts, et d'un ton ferme, il appela :

— De Morangis ! Gambar ! D'Espons !

Immédiatement, trois hommes se précipitèrent dans la grange, et jetèrent à Ariane un regard noir. Saisie par la panique, la jeune fille serra le poing autour de la bobine qu'elle tenait dans sa main. Quelles qu'aient été leurs intentions, elle les dérangeait.

— Que fait-on ? soupira le premier, qui n'avait pas lâché les manuscrits.

Ses complices échangèrent un regard, ennuyés, mais, de toute évidence, déterminés.

— Nous ne pouvons pas laisser un témoin derrière nous, déclara finalement l'un d'entre eux.

20

La bobine dévidée

Madeleine entra dans la grange et s'effondra sur son matelas. Autour d'elle, les autres comédiens, tout aussi épuisés, se couchaient. Et dire que, dès le lendemain, il faudrait recommencer, et jouer *La Princesse d'Élide* ! Il faudrait encore danser, parader, réciter des vers et des plaisanteries, tout cela pour le bon plaisir du roi !

Heureusement, songea Madeleine en fermant les yeux, dans quelques jours, on jouerait le *Tartuffe*. C'était la pièce qui comptait ; c'était pour elle qu'elle supportait de grimper dans les arbres et de faire des pitreries pour le roi. Car le *Tartuffe*, elle le sentait, aurait vraiment le pouvoir de changer les choses.

« Et dire que je ne connais toujours pas mon texte ! soupira-t-elle, honteuse. Bon, je l'apprendrai demain… » Mais, à l'instant où elle pensait cela, une vague de culpabilité la submergea : c'était ce qu'elle se disait tous les soirs, depuis près d'un mois. « Je l'apprendrai demain… »

Elle était épuisée. À bout de forces. Elle voulait dormir. Pourtant, péniblement, elle s'assit sur son matelas. Elle devait au moins commencer à apprendre le texte, au moins une scène… les jours, les heures étaient comptés avant la représentation.

D'un geste las, elle chercha le manuscrit, qu'elle avait rangé avec ses vêtements. Elle aurait juré l'avoir posé à côté de la robe de soubrette que lui avait fabriquée Ariane, mais il n'y était pas. Étonnée, elle commença à remuer méthodiquement toutes ses robes, ses chemises, ses jupes… Peu à peu, l'inquiétude la gagnait. Avait-elle oublié le texte dans le parc ? Non, c'était impossible : elle se revoyait parfaitement, quelques heures plus tôt, en train de ranger le manuscrit…

— Quelqu'un a-t-il pris mon *Tartuffe* ? demanda-t-elle à la ronde.

Les comédiens – qui pour la plupart étaient presque en train de dormir – murmurèrent des « non » assoupis.

Mais Molière avait réagi :

— Je ne trouve pas le mien, non plus, s'exclama-t-il, d'une voix où pointait l'angoisse.

Molière et Madeleine échangèrent un regard, pressentant le pire.

— Cherchez tous vos manuscrits ! ordonna le chef de troupe.

En soupirant, les comédiens se relevèrent, et fouillèrent la pièce d'un air fatigué.

— Je ne le vois pas, s'étonna Armande.

— Quelqu'un a dérangé mes affaires, remarqua Marquise.

— Il était là ! Je suis sûr qu'il était là ! pesta La Grange.

Puis ce fut Du Croisy qui jura sourdement, et Catherine de Brie qui vida sa malle avec rage. Bientôt, ils durent se rendre à l'évidence : quelqu'un était venu en leur absence, quelqu'un qui avait fouillé la pièce. Qui avait volé le *Tartuffe*. Un silence atterré s'abattit sur la troupe.

— Les dévots ! C'est forcément eux ! s'exclama Molière.

— Mais pourquoi ? s'étonna Madeleine. Ils connaissent déjà la pièce ! Ils nous l'ont déjà volée !

— À moins…, réfléchit lentement Armande… à moins que leur but n'ait pas été d'avoir le manuscrit, mais de nous en priver.

— Pourquoi ? s'étonna Madeleine.

— Parce que, sans texte, pas de pièce… Et qui d'entre nous connaît son texte ?

La voix d'Armande n'était plus qu'un murmure, un murmure honteux et à peine audible. Les comédiens baissèrent la tête. Aucun d'entre eux n'avait eu le temps d'apprendre son rôle ; ils avaient été bien trop occupés. Et maintenant, le texte avait disparu !

Le visage de Molière prit une teinte blafarde. Furieux, il se mit à crier :

— Grâce à vous, le *Tartuffe* est perdu ! Nous ne pourrons pas la jouer dans deux jours, et après cela, elle sera interdite. Et qu'allons-nous dire au roi ? Que nous avons égaré le texte ? Tout le monde va penser que nous avons peur !

— Du calme, répondit Madeleine. Nous ne connaissons pas le texte mais toi, tu le connais. Tu n'as qu'à le réécrire.

— Je le connais ! Et comment veux-tu que je me souvienne de tout ! Avec *La Princesse d'Élide*, les rimes que vous avez déclamées lors du défilé, *Le Mariage Forcé*, tout se mélange !

Consternés, les comédiens dévisagèrent leur chef. Il travaillait trop ; il était au bord de la crise de nerfs.

— Notre seul espoir, conclut Molière d'une voix abattue, c'est de retrouver les manuscrits.

Impuissante, Ariane luttait contre les liens qui lui entravaient les jambes et les bras, le bâillon qui lui emplissait la bouche. Elle jetait des coups d'œil désespérés à la pénombre qui l'entourait. À quelques mètres, quatre ou cinq dévots discutaient à mi-voix, décidant sans doute de son sort. L'endroit était aussi étrange qu'inconnu ; les Confrères l'avait traînée à travers le parc, dans la nuit, avant de la ligoter ici.

C'était une pièce souterraine, sans doute encore en travaux. Une cave, peut-être... Ou alors, songea la jeune fille avec un frisson, un tombeau... Les rayons de lune, qui tombaient des quatre fenêtres placées en hauteur, conféraient au lieu une atmosphère lugubre. Quant aux murs, que l'on distinguait à la lueur des bougies, ils étaient lourdement ouvragés, couverts de coquillages, de rocailles.

Une cachette idéale. Personne ne viendrait la chercher ici. À supposer même que quelqu'un remarquât sa disparition. Élise était au château, et les comédiens devaient dormir. Ariane eut l'impression de sombrer. Si son seul espoir de survie était la clémence de ces fanatiques, son sort était sérieusement compromis.

Peut-être qu'au matin, quelqu'un découvrirait la piste qu'elle avait tenté de laisser, tandis que les dévots la conduisaient dans cette cachette. Mais au matin, il serait trop tard pour la sauver.

Soudain, des pas retentirent dans l'escalier. Une silhouette sombre s'approchait ; Ariane reconnut le marquis de Laval. Le parrain d'Antonin ! Peut-être que le comte de Vilez, lui aussi, savait qu'elle était enfermée ; peut-être même participerait-il à son assassinat.

Immédiatement, le marquis la remarqua, ligotée dans un coin.

— Que fait-elle là ? grogna-t-il.

— C'est la couturière, expliqua l'un des hommes. Elle nous a surpris.

Le marquis laissa échapper un soupir exaspéré, mais ne manifesta pas la moindre compassion pour la jeune fille. L'angoisse la suffoqua. Personne ne viendrait la secourir. Tâchant de garder son calme, Ariane se força à songer à la bobine de fil rouge qu'elle tenait dans sa paume, son unique espoir. Tandis que les dévots l'entraînaient dans le parc, elle avait semé des morceaux de fil sur son chemin. Peut-être quelqu'un les découvrirait-il ?

— Vous avez les manuscrits ? demanda le marquis.

Sans un mot, ses complices lui montrèrent la liasse de textes qu'ils avaient volés chez Molière.

— Finissons-en, déclara-t-il.

Il attrapa le premier exemplaire du *Tartuffe*, et, tranquillement, l'approcha de la bougie qu'il tenait à la main. Le papier se recroquevilla, devint marron, puis noir ; une frange rougeoyante apparut aux extrémités. Puis une flamme jaune, brillante, illumina l'endroit où ils se trouvaient ; le marquis lâcha le manuscrit, qui tomba au sol. En quelques secondes, le feu rongea les caractères tracés par Molière, dévorant l'encre et les mots.

Les autres dévots applaudirent.

Peu à peu, la flamme déclina ; la grotte fut replongée dans la pénombre. Seul, au sol, un petit tas de cendres noires témoignait encore de l'existence du manuscrit.

— Suivant, dit le marquis, impassible.

Ariane laissa échapper un cri, que le bâillon étouffa.

Ils ne pouvaient pas ! Ils ne pouvaient pas détruire des mois de travail, anéantir le chef-d'œuvre de Molière ! Mais, d'un geste calme, le marquis plaça la bougie sur le second manuscrit. À son tour, il se mit à flamber.

Les larmes montèrent aux yeux d'Ariane, tandis qu'elle observait les pages, une à une, partir en fumée. Les mots sur le papier se tordaient et fondaient. Ne comprenaient-ils pas quel crime ils étaient en train de commettre ?

En l'entendant sangloter, le marquis tourna la tête, et lui jeta un regard méprisant. Le second manuscrit achevait de se consumer au sol. Il tendit la main en direction de ses acolytes :

— Suivant, ordonna-t-il.

« Je suis pathétique, songea Antonin, en s'approchant de la grange. Absolument ridicule. » Quelques heures plus tôt, Ariane lui avait clairement fait savoir qu'elle ne voulait plus le revoir, jamais ; et pourtant il était encore à Versailles, à tourner dans le parc dans l'espoir de la croiser.

Il aurait dû se précipiter dans une église, se confesser à un prêtre, ou aller parler à son parrain. Au lieu de cela, il s'approchait subrepticement de la grange où se trouvait Ariane. Il s'arrêta à quelques mètres de la porte, pensif. Il l'imaginait, en train de dormir paisiblement.

Rapidement, pourtant, l'étonnement le saisit. Quelque chose – il n'aurait su dire quoi – quelque chose n'était pas normal. Étaient-ce les lumières qui provenaient de la grange, à cette heure avancée de la nuit ? Étaient-ce les cris qu'il devinait à l'intérieur ?

Inquiet, le comte s'approcha.

Le spectacle qu'il découvrit en poussant la porte était inimaginable. Dans un coin, Armande sanglotait ; Madeleine et La Grange étaient engagés dans une discussion animée ; Molière, l'air furieux, marchait de long en large et tapait du pied.

Et Ariane ! Ariane n'était pas là !

— Que se passe-t-il ? demanda Antonin.

— Les dévots ont volé les manuscrits du *Tartuffe*, répondit Molière, sans le regarder.

— Et Ariane ? demanda le comte. Où est-elle ?

Ils le dévisagèrent, surpris, puis regardèrent autour d'eux. Quoi ? Était-il possible qu'aucun d'eux n'ait remarqué que la jeune fille n'était pas là ?

— Je ne l'ai pas vue depuis le défilé, réfléchit Armande.

Instinctivement, Madeleine tourna la tête vers le coin de la pièce qu'occupait Ariane. Antonin suivit son regard. Immédiatement, il la remarqua. Une bobine de fil rouge, dévidée, gisait au sol. Un peu plus loin, une paire de ciseaux avait été abandonnée. Son sang ne fit qu'un tour. Il traversa la pièce et ramassa la bobine. Que s'était-il passé ? Avait-elle quitté la pièce précipitamment ? Ou bien avait-elle été surprise par les voleurs ?

— C'est inquiétant, souffla Molière.

Inquiétant ! De qui se moquait-il ? Inquiétant ! Si Ariane avait surpris les dévots – si c'était eux qui l'avaient enlevée – sa vie était en danger.

Antonin les connaissait trop bien pour douter de ce qu'ils pouvaient faire. Au nom de Dieu…

Incapable de contenir son angoisse, il attrapa une chandelle et se précipita dans le parc.

— Ariane ! appela-t-il dans la nuit.

Frénétiquement, il se mit à chercher des marques, des indices. Si la Compagnie était venue, elle avait probablement dû laisser des traces de pas ; la terre, le gravier seraient remués. Courbé, presque à quatre pattes, le comte scrutait l'obscurité. Il fallait qu'il la trouve !

Il entendit les comédiens qui sortaient de la grange à leur tour, et appelaient Ariane.

— Que faire ? demanda Molière.

— Je vais aller trouver sa cousine, suggéra Armande. Elle l'aura peut-être vue.

— Nous allons l'appeler dans le parc, proposa La Grange.

Le comte se retint de leur rire au nez. N'avaient-ils donc aucune idée de la puissance de leurs ennemis ? S'ils avaient enlevé Ariane, l'appeler ne suffirait pas. Une nouvelle fois, il se pencha, écarquilla les yeux, dans l'espoir d'apercevoir une marque de pas, une piste, n'importe quoi !

Tout à coup, la bougie éclaira une tache rouge, au sol. Le comte s'agenouilla. Un fil ! C'était un fil !

Vivement, il s'en saisit et l'examina un instant. Il avait l'impression de le reconnaître. C'était le même fil que celui qu'il avait ramassé tout à l'heure, celui de la bobine dévidée.

Et si Ariane avait cherché à leur laisser une piste ?

Il bondit. Fit quelques pas. Se pencha. À quelques mètres du premier, en descendant l'allée, se trouvait un autre morceau de fil, visiblement arraché à la même bobine. Ariane avait dû les semer sur son chemin, tandis que les dévots l'entraînaient de force.

Les yeux rivés au sol, le comte se précipita dans les jardins.

— Suivant, ordonna le marquis de Laval.

Son complice lui tendit le manuscrit – le dernier.

« Je dois faire quelque chose », songea Ariane. Furieusement, elle se débattit pour arracher ses liens. En vain. Ils étaient bien trop serrés. Malgré son bâillon, elle se mit à crier. Elle ne parvint à produire qu'un son étouffé ; les dévots ne lui jetèrent pas même un regard.

Le marquis se saisit du dernier *Tartuffe*. Ce n'était tout simplement pas possible ! Il n'y avait pas d'autre manuscrit, personne qui sût le texte ! Si cet exemplaire disparaissait, c'était l'œuvre de Molière qui serait réduite en cendres !

Il l'approcha de la bougie, une lueur de triomphe dans le regard. Son geste tremblait, comme s'il était ému.

Ariane redoubla ses cris. En vain. Résolu, Laval plongea le manuscrit dans la flamme. Comme les autres, le dernier *Tartuffe* mit quelques secondes à s'enflammer ; mais, comme les autres, il fut bientôt au sol, à flamber, à crépiter, à étinceler joyeusement !

Le papier se contracta, rougeoyant. Puis, doucement, la couleur disparut. Du *Tartuffe*, seule subsistait au sol une boule de cendres noires.

Pendant quelques instants, les dévots contemplèrent le sol jonché de cendres. Puis l'un d'eux se tourna vers Ariane, qui sanglotait convulsivement.

— Et la fille ? demanda-t-il.

D'un même mouvement, ses comparses se tournèrent vers Ariane. Celle-ci sentit ses cheveux qui se dressaient sur son crâne.

— Elle fait partie de la troupe, réfléchit le marquis. Elle est donc athée.

— Elle nous a vus. Tous. Elle pourrait témoigner, renchérit un autre.

— Il en va de l'intérêt de la Compagnie. Donc de celui de Dieu, poursuivit Laval. C'est regrettable, bien sûr, mais il faut parfois défendre les intérêts supérieurs de notre Église. Nous ne pouvons pas hésiter ; il faut la tuer, quoi qu'il nous en coûte.

Ils acquiescèrent, et la panique étourdit Ariane.

— Il serait facile de l'enterrer quelque part dans le parc, suggéra l'un des hommes.

— Sa disparition paraîtra suspecte.

Ils réfléchirent encore quelques instants. Puis un second confrère suggéra :

— Entraînons-la dans les marais, et noyons-la. Sa mort aura l'air d'un accident.

— J'ai une meilleure idée, répliqua le marquis de Laval. La grotte où nous sommes se trouve au milieu de la Ménagerie. Il suffit de l'enfermer dans un enclos, avec des bêtes sauvages, et de s'en remettre au jugement de Dieu. S'Il choisit de laisser les animaux la dévorer, eh bien, qu'il en soit ainsi.

Ses complices approuvèrent vigoureusement. « Ces hommes sont fous, réalisa Ariane. Ce sont des illuminés, des malades ! »

Ils étaient sincèrement convaincus que de l'enfermer dans l'enclos d'une bête sauvage et exotique était un acte saint, du moment que cela permettait de défendre ce qu'ils appelaient le Bien…

— Quels animaux y a-t-il dans la Ménagerie ? demanda l'un des dévots.

— Je ne sais pas, hésita le marquis. Peut-être des lions… ou des tigres…

La colère et la panique se mêlèrent au fond de la gorge d'Ariane. Un lion ! Ils voulaient la livrer à un lion ! Un des dévots hocha la tête, enthousiaste, et ajouta, sur un ton qu'Ariane trouva presque envieux :

— Elle va mourir comme les premiers martyrs chrétiens !

Antonin courait, les yeux rivés au sol. Morceau de fil après morceau de fil, il se rapprochait d'Ariane. Jamais il n'aurait imaginé que les jardins de Versailles fussent si vastes. Il tournait et retournait parmi les arbres, parmi les allées et les chemins sinueux. Chaque détour ressemblait au précédent ! Partout, les arbres dessinaient des corridors de verdure ; chaque angle, chaque croisement, rendait ce dédale plus compliqué encore.

Et il faisait si sombre !

« Il faut que j'arrive à temps, songea Antonin. Si quelque chose arrive à Ariane, je ne pourrai jamais me le pardonner. »

Soudain, il déboucha dans une clairière. Un pavillon se dressait devant lui, entouré d'étranges murets qui formaient comme un labyrinthe autour du dôme central. Était-ce là qu'ils avaient conduit Ariane ? Il scrutait le sol, autour de lui, à la recherche d'un nouvel indice.

Tout à coup, un hurlement déchira la nuit. Il résonna un instant puis le silence, assourdissant, reprit ses droits. Frémissant, Antonin tendit l'oreille : le hurlement avait repris. Mais il n'avait rien d'humain : c'était le cri d'un animal, d'un monstre ! Puis le jeune homme comprit : il se trouvait à la Ménagerie.

Avant qu'il n'ait eu le temps de s'avancer, des pas retentirent dans son dos.

— Arrêtez-vous !

Il se retourna. Derrière lui, une épée à la main, se trouvait un dévot. Instinctivement, Antonin voulut dégainer ; puis il réalisa qu'un deuxième membre de la Compagnie se tenait à sa gauche, un troisième à sa droite. Des silhouettes s'approchaient, au loin, dans l'ombre…

Il était cerné.

21

Le bâillon et les liens

— Allons-y, ordonna le marquis de Laval.

Un des dévots s'approcha d'Ariane, la souleva, et la jeta sans ménagement sur son épaule. Elle hurla, mais le bâillon étouffa ses cris ; elle se débattit, mais ses gestes étaient entravés par des cordes.

D'un pas lourd, l'homme se dirigea vers l'escalier. « Ne panique pas », s'ordonna Ariane, en vain. Elle savait qu'il fallait être courageuse, qu'elle devait rester digne face aux dévots, mais elle ne pouvait pas arrêter de pleurer. Un lion ! Il allait la jeter à un lion ! Elle savait qu'ils ne plaisantaient pas. Ils étaient fanatiques, ils étaient prêts à tout.

Soudain, des pas retentirent dans l'escalier.

Ariane sentit son cœur s'arrêter. Un sursaut d'espoir la traversa : quelqu'un était peut-être venu la sauver. *Quelqu'un* avait dû s'apercevoir de sa disparition !

Pourtant, la voix qui retentit lui était inconnue :

— Monsieur le marquis, déclara le nouveau venu avec déférence.

— Drouard ! s'exclama Laval, irrité. N'êtes-vous pas censé monter la garde ?

— Justement, nous venons d'arrêter quelqu'un… c'est votre filleul, le comte de Vilez. Il prétend qu'il veut vous parler. Dois-je le faire descendre ?

Antonin ! Antonin était là ! Ariane sentit une légère vague de réconfort. Sûrement, il prendrait son parti, il convaincrait le marquis de ne pas la tuer ! Pourvu seulement que Laval acceptât de le recevoir !

Celui-ci réfléchit un instant, puis déclara :

— Non, ne le faites pas descendre, je ne veux pas qu'il voie la prisonnière. Je vais monter.

D'un geste, il ordonna à l'homme qui tenait Ariane de reposer la jeune fille. Celui-ci obéit, et la laissa tomber sur le sol sans ménagement. Étourdie, Ariane aperçut le marquis qui montait nerveusement l'escalier. La terreur embrouillait ses esprits ; tout semblait soudain si confus. Que faisait Antonin ici, à cette heure de la nuit ?

Tout à coup, elle tressaillit : elle venait de reconnaître sa voix. Il devait se tenir tout en haut des escaliers, car elle entendait tout ce qu'il disait.

— Cher parrain, lançait-il justement.

— Cher Antonin, répondit le marquis.

Un léger silence plana, mettant les nerfs de la jeune fille à vif, puis Laval demanda :

— Comment nous avez-vous trouvés ?

— Oh, je me suis souvenu que vous aviez mentionné la Ménagerie comme une cachette possible, un jour, expliqua le comte d'un ton tranquille.

Pour Ariane, suspendue aux bruits qui provenaient de l'étage, chaque silence était une torture.

— Je suis absolument navré de vous déranger au milieu de la nuit. Je ne l'aurais pas fait si je n'avais cru devoir vous informer au plus vite d'une circonstance importante : les manuscrits de Molière ont été volés.

Ariane eut l'impression de suffoquer. Ainsi donc, une fois de plus, Antonin prouvait qu'il n'était qu'un traître ! Une fois de plus, il avait espionné la troupe, et venait fidèlement rapporter à son parrain le fruit de ses observations. Qu'elle avait été stupide de ne rien dire à personne de ses mensonges, de ses trahisons !

La rage s'empara d'elle. Le traître ! Le sale traître !

Le marquis, cependant, répondit :

— Je sais : c'est nous qui les avons volés. Nous les avons détruits.

» Nous pouvons nous féliciter, poursuivit Laval. Cette fois, le *Tartuffe* est définitivement enterré. C'est une victoire pour la Compagnie, une victoire dont nous avions bien besoin. Le roi va enfin comprendre qu'on ne s'attaque pas impunément aux dévots. La foi va enfin triompher dans le royaume de France...

La jeune fille laissa échapper un petit cri de révolte, que son bâillon étouffa. Comment Antonin pouvait-il écouter sans sourciller toutes ces absurdités ? Cependant, un des dévots s'avança vers elle, et chuchota d'un ton menaçant :

— Tais-toi !

Ariane lui jeta un regard de défi, insolent, et se remit à crier. Le plus fort possible. Ce cri ne dura qu'un instant : l'homme la gifla, si fort qu'elle perdit l'équilibre ; sa tête heurta le sol, et tout devint noir.

Antonin acquiesçait au discours du marquis, s'efforçant de paraître enthousiaste. Intérieurement, pourtant, il bouillait. Où se trouvait donc Ariane ? Elle était sûrement tout près d'ici... Mais comment amener son parrain à lui révéler l'endroit où il l'avait enfermée ?

— Molière mérite le bûcher, poursuivait le marquis. Ce soir, nous avons détruit son œuvre infâme, et c'est déjà un premier pas.

À l'écouter, Antonin se sentit peu à peu envahi par le dégoût. Comment avait-il pu croire à la grandeur de la Compagnie ? Il s'était laissé bercer par leurs discours sur le Bien et la religion, il avait été aveugle ! Ariane avait raison : son parrain était dangereux, bien plus dangereux que Molière.

— Dieu est grandement déshonoré dans le siècle

où nous sommes, par les athées, par les libertins, mais nous défendrons Sa Gloire, quoi qu'il nous en coûte. Nous ramènerons dans le droit chemin...

Cette fois, Antonin n'y tint plus. Chaque minute qui passait pouvait être fatale. Il décida de jouer son va-tout. Il devait savoir où était Ariane.

— La troupe de Molière est également très préoccupée par la disparition de la couturière, déclara-t-il, d'un ton qu'il essaya de rendre désinvolte, comme s'il ne mentionnait la chose qu'en passant.

Le marquis de Laval interrompit son monologue, visiblement surpris, et dévisagea Antonin. Le jeune homme crut voir l'ombre d'une suspicion traverser son regard, et lui sourit d'un air innocent.

— La couturière, répéta lentement le marquis de Laval.

Le comte était sur les charbons ardents. Ariane était-elle ici, oui ou non ? Le marquis eut un sourire presque rusé. Qu'est-ce que cela signifiait ? Il ne pouvait pas – il ne pouvait pas – l'avoir déjà tuée !

— La couturière..., reprit le marquis. Celle que vous aviez sauvée, n'est-ce pas, la fois où Planchin avait été chargé de l'effrayer ?

— Oui, mais...

— Celle que vous suiviez, tout à l'heure dans le parc, pendant le défilé ? Ne niez pas, mes hommes vous ont vu !

— Je ne vois pas le rapport, répondit sèchement Antonin.

Le marquis le toisa d'un air sévère et répliqua :

— Ne me prends pas pour un imbécile, Antonin. J'ai très bien remarqué que tu prenais tes distances avec la Compagnie ! Pourquoi crois-tu que je ne t'ai rien dit du vol des manuscrits ? J'espérais que ce n'était qu'un doute passager, mais non, tu es corrompu jusqu'à l'âme.

Le comte haussa les épaules. Il commençait à comprendre à quel point les jugements catégoriques de son parrain étaient simplistes. Cet homme qui avait été tout pour lui – qui l'avait aidé, qui l'avait consolé, à la mort de son père – n'avait en fait cherché qu'à le manipuler. Malgré tout, ce que Laval ajouta ensuite lui coupa le souffle :

— Cette bonne à rien de couturière est votre maîtresse !

— Vous délirez ! s'insurgea Antonin, hors de lui. Ariane est la jeune fille la plus honnête, la plus… elle n'aurait jamais…

— C'était une erreur de vous confier cette mission, soupira encore son parrain. Les jeunes ne savent pas résister à la tentation.

— Cessez vos insultes !

Le marquis considéra son filleul un instant, un sourire rusé aux lèvres.

— Vous n'aimez donc pas cette petite couturière ? demanda-t-il.

— Non, mentit Antonin, en priant pour que le marquis le crût.

D'un geste, Laval fit signe au jeune homme de le suivre. Ils descendirent l'escalier qui menait à la grotte. Lorsque Antonin fut sur la dernière marche, il la vit, recroquevillée dans un coin, au sol, ligotée. La fureur s'empara de lui, et, instinctivement, il posa la main sur le pommeau de son épée.

« Je dois rester calme, se sermonna-t-il. Si je veux la sauver, je dois rester calme. »

Alors, d'un pas tranquille, il pénétra dans la pièce.

« Je suis toujours dans la grotte », songea Ariane, en ouvrant les yeux. Sa tête la faisait horriblement souffrir ; tout paraissait étrangement confus. Tout à coup, comme elle essayait de se relever, elle s'aperçut que le marquis redescendait dans la grotte. Derrière lui se tenait Antonin.

Ariane regarda le comte s'avancer. Il ne semblait pas troublé de la voir ainsi ligotée et bâillonnée.

— Puisque tu n'as aucun sentiment particulier pour cette fille, tu comprendras bien qu'il faut que nous nous en débarrassions. Elle connaît nos secrets.

Sans un mot, le comte hocha la tête.

— Tue-la, ordonna le marquis.

Ariane sentit la terreur s'emparer d'elle. Il n'allait pas obéir – il ne *pouvait pas* obéir. C'était impossible. Et sa tête qui lui faisait si mal ! Elle ne parvenait pas à penser clairement. Le comte bafouilla :

— *Tu ne tueras point.*

Mais Laval haussa les épaules :

— Nous menons une croisade.

Il planta son regard dans les yeux de son filleul, un regard dur, menaçant :

— Tue-la ou nous te tuerons. Je n'ai aucune pitié pour les traîtres.

Ariane vit le comte dégainer son épée. Il allait le faire ! La douleur, le désespoir, la panique la submergèrent ; mais toutes ces sensations étaient comme atténuées par sa tête qui tournait. D'un mouvement brusque, le comte s'approcha de la jeune fille, et leva son épée.

Son cœur se brisa. Il le faisait ; il allait la tuer ; il n'essayait même pas de discuter.

Elle ferma les yeux.

Sans hésiter, Antonin trancha les liens qui retenaient Ariane prisonnière. Les dévots le regardèrent faire, trop stupéfaits pour réagir. Il attrapa la jeune fille par le bras, et, d'un geste puissant, la releva.

— Ariane, courez ! souffla le comte. Sortez par l'arrière, cachez-vous, je les retiens.

Tout en parlant, il la poussait vers la sortie. L'un des complices du marquis dégaina, prêt à bondir sur eux. En une seconde, Ariane fut en bas des marches, la tête comme emplie de brume. Elle croisa les yeux d'Antonin ; son regard bleu pâle était aussi déterminé, aussi implacable qu'il l'avait été le jour de leur rencontre, sous la pluie, au Palais-Royal… Elle voulut s'accrocher à lui, et saisit l'étoffe noire de son pourpoint. Il se dégagea violemment.

— Ariane, je vous aime, fuyez !

Et soudain, malgré elle, Ariane se sentit obéir à l'injonction de ce regard trop plein de lumière. Elle précipita dans l'escalier, tandis que le marquis, dans la grotte, criait :

— À l'aide !

Dans un instant, les autres dévots seraient là. Comme une somnambule, Ariane suivit les instructions du comte : sortir par l'arrière… se cacher…

Les cris et les bruits d'épées semblaient sortir des entrailles de la Terre ; derrière elle, la grotte s'ouvrait, béante, comme la bouche des Enfers. Les lames se heurtaient, violentes, et résonnaient dans la nuit. Là-bas, sous ses pieds, Antonin se battait contre une dizaine d'hommes. Il lui semblait entendre la voix du jeune homme, impérieuse : se cacher… fuir… Ariane fit quelques pas hors de la Ménagerie ; les premières lueurs de l'aube se levaient sur le parc. Soudain, elle chancela, et, à demi étourdie, elle s'effondra dans un bosquet. À nouveau, tout fut noir.

22

Le pourpoint transpercé

Ariane cligna des yeux. Le soleil était levé. Confuse, elle jeta un regard autour d'elle : des branches… des feuilles… de la terre… Elle était dans le parc. Elle s'assit quelques instants, perplexe. Que s'était-il passé ? Soudain, elle se remémora l'ombre d'Antonin dans l'obscurité de la grotte, lui criant de fuir, et tout lui revint. Les dévots ! Les manuscrits ! Les flammes ! Elle se leva, étourdie, puis tendit l'oreille : un bruit de cloches résonnait au lointain. C'était sûrement la prime qui sonnait. Deux heures avaient dû s'écouler depuis qu'elle avait titubé hors de la Ménagerie.

Elle courut vers la grotte où elle avait laissé Antonin, combattant seul face à dix adversaires. Antonin, qui l'avait sauvée, qui s'était sacrifié. Pourvu qu'il ne fût pas trop tard !

Aucun bruit ne sortait plus du sol ; de toute évidence, les dévots avaient quitté les lieux. Ariane s'engagea dans l'escalier. Elle tremblait. Et si, au bas des marches, gisait le cadavre du jeune homme ?

À cette heure-ci, la grotte était illuminée par la lumière du jour. Il ne fallut qu'un instant à Ariane pour constater qu'elle était déserte. Le soulagement l'envahit, jusqu'à ce qu'elle ne remarque, au sol, près du jet d'eau, une tache rougeâtre. Elle se précipita.

« Du sang », constata-t-elle, effarée.

Étalé sur le sol, il n'était pas tout à fait sec. Était-ce le sang d'Antonin ? Les dévots l'avaient-ils tué, avant de se débarrasser du corps ? Ariane remonta en chancelant. Comme une somnambule, elle se remit à marcher. Mort ou vivant, il fallait qu'elle retrouve le jeune homme, mais elle ne savait ni où, ni comment chercher. Elle avançait au hasard dans le parc, l'esprit embrumé. Antonin avait disparu, et elle ne pouvait penser à rien d'autre. Soudain, elle aperçut la troupe. Une scène avait été dressée au milieu des bosquets, et tous, acteurs et ouvriers, travaillaient d'arrache-pied à préparer *La Princesse d'Élide*.

« C'est vrai qu'ils jouent ce soir », réalisa Ariane avec une indifférence qui l'étonna.

Assis dans un coin, Molière achevait d'écrire le manuscrit à la hâte. Soudain, ils cessèrent tous de parler, et se figèrent comme s'ils avaient vu un fantôme.

— Ariane ! s'écria Madeleine.

La comédienne courut jusqu'à elle, et l'enlaça, les larmes aux yeux.

— Où étais-tu passée ? s'exclama Armande, en la prenant à son tour dans ses bras.

Ariane passa de bras en bras, avant de se retrouver face à Molière. Il lui sourit, mais son visage était sombre.

— Ce sont les dévots qui ont volé les manuscrits, n'est-ce pas ? demanda-t-il.

Ariane acquiesça gravement ; elle avait l'impression d'entendre encore le crépitement du papier.

— Ils les ont tous brûlés, lâcha-t-elle.

Un murmure horrifié parcourut les comédiens. Molière chancela ; il semblait plus vieux, plus épuisé que jamais. Ainsi donc, c'en était fini du *Tartuffe*. La pièce pour laquelle il s'était tant battu, pour laquelle il avait tant souffert n'était plus qu'un petit tas de cendres chez des fanatiques religieux.

Ariane, elle, ne songeait qu'à Antonin. « Il n'est pas mort, se répétait-elle, avec une volonté désespérée. Il n'est pas mort. »

Triste et exténué, le marquis de Laval s'assit sur son lit, dans le château. La nuit qui venait de s'écouler l'avait empli d'amertume. Il était mécontent que la couturière ait réussi à s'échapper, bien qu'il se consolât en songeant qu'elle n'avait aucune preuve de leur culpabilité. Mais ce qui l'attristait le plus, c'était la trahison d'Antonin. Jamais il n'aurait imaginé que sa relation avec son filleul prît fin dans des circonstances aussi tragiques.

Il revoyait ces dernières heures, dans la grotte, quand le jeune homme, encerclé par les membres de la Compagnie, avait tenté tant bien que mal de protéger sa vie. Il savait se battre, c'était indubitable, et il était résolu à se défendre ; mais que pouvait-il faire contre dix assaillants ?

D'abord, Antonin avait combattu presque mécaniquement, exécutant des mouvements qu'il avait dû apprendre des années auparavant. Mélancolique, le marquis le revoyait lever l'avant-bras, tendre la jambe gauche, allonger la droite, et frapper avec une précision redoutable. Il avait transpercé le bras d'Antoine de Morangis. Tous les dévots, alors, avaient fondu sur le jeune comte, et la lame de Philippe d'Espons lui avait frôlé la poitrine. Au dernier moment, pourtant, Antonin avait esquivé, avec un parfait moulinet de l'épée.

« Parade du cercle entier, avait pensé le marquis, en reconnaissant la manœuvre. »

Mais Philippe était revenu à la charge, et, quelques secondes plus tard, Antonin se trouvait acculé contre le mur de rocailles. À droite, à gauche, il était cerné. Un instant, le marquis avait songé à lui faire grâce – le comte était si jeune ! Mais il s'était contrôlé : pour le bien de la Compagnie, pour Dieu, il devait laisser Antonin mourir.

En soupirant, le marquis ôta ses bottes et s'allongea sur son lit. Cette nuit, la Compagnie avait triomphé de Molière, avait détruit le *Tartuffe*, mais à quel prix ?

— Qu'allons-nous faire, Jean-Baptiste ? demanda Madeleine. Nous ne pouvons pas jouer le *Tartuffe* !

— Je ne sais pas. Je ne sais pas, répondit Molière, profondément abattu.

Ses comédiens le regardèrent, préoccupés : ni la prison, ni l'exil en province, ni les calomnies de ses adversaires n'avaient réussi à le miner ; mais la destruction du *Tartuffe* semblait lui avoir ôté toute énergie.

Ariane aurait voulu partager leur inquiétude ; mais, bien plus que les manuscrits, c'était Antonin qu'elle pleurait.

« Peut-être qu'ils ne l'ont pas tué, tenta-t-elle de se rassurer. Peut-être est-il seulement prisonnier. »

Cela sonnait faux, même à ses propres oreilles, mais elle voulait y croire. Antonin ne pouvait être mort.

Après un silence qui parut durer une éternité, La Grange prit la parole :

— Nous y réfléchirons demain. Pour l'instant, il nous faut travailler *La Princesse d'Élide*.

Lentement, les comédiens remontèrent en scène, observant Molière d'un air indécis. De toute évidence, ils attendaient ses instructions, mais rien ne venait.

— Alors ? demanda doucement Madeleine. Jean-Baptiste, il faut finir la pièce.

— Je n'ai pas écrit la fin, répliqua le comédien d'un ton sombre.

— Il faut l'écrire *maintenant*, insista Armande. Nous jouons devant le roi dans quelques heures.

Molière laissa échapper un rire amer :

— Je me fiche bien de *La Princesse* ! Ils ont détruit le *Tartuffe* ! Ils l'ont brûlé ! Non, non, je ne vais pas écrire la fin. Je ne vois même pas pourquoi je reste ici à flatter le roi, si c'est pour qu'on brûle mes pièces. Je rentre à Paris.

Un silence consterné s'abattit sur la troupe ; tous se mirent à protester, sauf Ariane.

Comme Molière, elle se sentait vidée, épuisée ; c'était comme si, soudain, plus rien n'avait de sens. Seule l'image d'Antonin, peut-être blessé, peut-être mort, continuait de la hanter.

Le marquis de Laval se retourna dans son lit. La lumière du matin inondait la pièce, mais ce n'était pas elle qui l'empêchait de dormir. Il avait beau fermer les yeux, le visage d'Antonin ne le quittait pas ; il était hanté par le souvenir du filleul qu'il avait perdu. Sans cesse, il avait sous les yeux l'image du jeune homme, acculé contre le mur, se dégageant à grand-peine. C'était à ce moment-là que René d'Argenson, sans hésiter, lui avait transpercé la jambe. Le marquis de Laval revoyait le sang dégoulinant de la blessure, et le visage d'Antonin qui se tordait de douleur. Il se souvenait aussi de la détermination qu'il avait lue dans les yeux de son filleul, tandis que celui-ci luttait pour ne pas s'effondrer. Une nouvelle fois, Antonin avait contre-attaqué, battant l'épée de d'Argenson pour en repousser la pointe. Puis le jeune homme avait exécuté avec brio une *petite marche triplée*, quatre ou cinq pas rapides, fermes et précis, pour attaquer son adversaire.

Le marquis de Laval soupira et s'assit sur son lit, comprenant qu'il lui serait impossible de dormir. La colère, la tristesse et le regret étaient trop forts ; surtout, le souvenir de ces quelques secondes où tout avait basculé ne cessait de revenir. En attaquant d'Argenson, Antonin avait, pour un instant, tourné le dos à son parrain. Le marquis, qui jusqu'alors ne prenait pas part au combat, avait tout à coup dégainé. La rage le possédait ; il avait voulu punir Antonin, ce parjure, ce traître.

Sans hésiter, il avait planté son épée dans le dos de son filleul.

Il se souvenait du hurlement de douleur qui avait échappé au jeune homme ; il le revoyait se retourner précipitamment, titubant.

« Il faut en finir », avait résolu le marquis.

Alors, une nouvelle fois, il avait levé son épée ; les yeux de son filleul avaient été traversés d'un éclair de panique. Le marquis de Laval, sans hésiter, avait visé le cœur ; et, pendant les minuscules secondes qu'il avait fallu à la lame pour atteindre son but, il avait compris qu'Antonin savait que c'était la fin.

« Pourquoi ai-je fait cela ? » se demandait-il à présent, assis sur son lit.

En soupirant, il ferma les yeux, submergé par la tristesse.

— Tu ne peux pas rentrer à Paris ! protesta Armande, outrée.

Pour toute réponse, Molière haussa les épaules, et Ariane songea qu'elle comprenait son désespoir et son renoncement. La bataille était perdue.

— Tu *dois* finir la pièce ! insista sa femme.

— Vous n'avez pas besoin de moi pour finir, répondit-il, amer. N'importe qui pourrait écrire la fin ! Le prince et la princesse, après s'être ignorés pendant toute la pièce, finissent par s'avouer leur amour et se marient !

Il ajouta, avec un rire désespéré :

— On détruit mon *Tartuffe*, mais ces petites comédies, ces divertissements, ça, il faut que je les écrive ! J'ai le droit de faire rire les gens, de les émouvoir avec ces petites histoires d'amour, mais de les faire réfléchir, surtout pas !

— Jean-Baptiste ! l'interrompit Madeleine, très cassante.

Tous les comédiens la regardèrent, choqués. Ils n'avaient pas pour habitude de voir Molière contredit, encore moins par celle qui était sa plus vieille amie et sa plus fidèle alliée.

— Ne t'énerve pas contre nous ! Nous t'avons toujours soutenu, suivi, épaulé, et nous continuerons à le faire. Nous ne sommes pas responsables de la cabale des dévots, et nous ne pouvons rien contre eux ! Oui, ce qui est arrivé au *Tartuffe* est odieux, mais nous n'avons pas le temps de nous lamenter. Il faut encaisser les coups et remonter sur scène, comme si de rien n'était, c'est ce que nous avons toujours fait et ce que nous ferons aujourd'hui encore !

« J'ai eu tort », songeait le marquis de Laval, en repensant aux coups dont il avait frappé son filleul.

C'était surtout le dernier, celui qui visait le cœur, qu'il regrettait. Antonin avait regardé la lame s'approcher, hébété, incapable même de faire un geste pour s'écarter. À l'idée que, dans quelques secondes, il aurait tué son filleul, le marquis avait senti la tristesse et la colère le gagner. Pourquoi avait-il fallu qu'Antonin agît aussi stupidement ?

Et puis, au moment où la poitrine du jeune homme était si proche de son épée qu'il avait l'impression de sentir déjà la lame pénétrer dans la chair, quelque chose d'étonnant, d'incroyable s'était produit. Antonin avait eu l'air de tomber – pourtant l'arme ne l'avait pas touché, pas encore. Il s'était jeté au sol, et le marquis, à son tour, avait été déséquilibré. Son coup d'épée, projeté dans le vide, l'entraînait en avant ; il avait eu une fugace impression de vertige avant de heurter le sol, brutalement. Puis, sans bien réaliser ce qui venait de se produire, il avait senti le corps d'Antonin qui roulait sur lui, et le jeune homme avait placé la lame de son épée contre sa gorge.

— Que tout le monde sorte de la grotte, avait ordonné Antonin. Ou je le tue.

D'un geste, le marquis avait fait signe aux autres d'obéir. Ce geste, pourtant, n'était pas nécessaire : tous avaient perçu la farouche détermination qui brillait dans les yeux du jeune homme.

« J'ai eu tort. Je n'aurais jamais dû me battre contre Antonin, soupirait cependant le marquis, assis sur son lit. D'Argenson, lui, en serait venu à bout – à cause de moi, il s'est échappé. »

Une nouvelle bouffée de rage submergea Hilaire de Laval. Toutes ces années passées à éduquer Antonin, ces soins constants, gâchés pour les beaux yeux d'une couturière ! Triste, courroucé, il songea à ce filleul qui lui avait mis une épée sur la gorge et qu'il avait, cette nuit-là, définitivement perdu. Il n'y avait plus rien à faire, il le savait ; leurs chemins s'étaient séparés à jamais.

Tout le monde, même Ariane, avait dévisagé Madeleine avec des yeux ronds. Plus encore que les autres, Molière semblait sous le choc. Il y avait bien longtemps qu'on ne lui avait pas, ainsi, dit ses quatre vérités ! La comédienne insista :

— *La Princesse* est une bonne pièce. Et si tu essayes de me dire que tu n'es pas content de monter sur scène et de faire le pitre, je ne te croirai pas !

Cette fois, Molière esquissa un sourire. Madeleine avait raison, il le savait. Quelles que fussent ses désillusions et ses difficultés, l'instant où il montait sur scène était toujours aussi magique, aussi inoubliable. Être sur scène était un plaisir qui effaçait toutes les critiques, tous les complots, toutes les cabales.

— Bien, dit-il, d'un ton qui cette fois était ferme. Où en sommes-nous ?

— Eh bien, se moqua Armande, il faut que le prince épouse la princesse.

Molière réfléchit un instant, et soupira :

— Je n'aurais pas le temps de finir d'écrire la pièce en vers. Tant pis. Ce sera en prose.

À écouter Molière composer impromptu ces dernières scènes, Ariane sentit les larmes lui monter aux yeux. Le prince et la princesse, qui avaient fait mine d'être indifférents, s'avouaient enfin leur amour... La gorge nouée, la jeune fille songea aux derniers mots du comte. « Ariane, je vous aime, fuyez ! » C'était, en tout cas, ce qu'elle avait compris – mais tous ses souvenirs étaient si flous, comme embrouillés par le coup qu'elle avait reçu à la tête !

Dévorée par un intolérable sentiment d'impuissance, Ariane regardait les comédiens répéter, et répéter encore, la grande scène de réconciliation entre le prince et la princesse. Elle ne pouvait rien faire pour

Antonin ; elle ne savait pas où il était, ni même s'il était vivant !

Soudain, elle aperçut Molière qui s'approchait d'elle :

— Comment te sens-tu ? demanda-t-il.

— Bien, mentit-elle.

Molière n'avait pas besoin de savoir que jamais, elle n'avait été aussi désespérée. L'idée que, peut-être, elle avait perdu le comte pour toujours menaçait de la rendre folle de désespoir.

Le comédien avait posé une main réconfortante sur son bras, et murmura :

— Je ne pourrai jamais trop te remercier d'avoir, au moins, essayé de sauver le *Tartuffe*. Le comte de Vilez nous a raconté ce que tu avais subi…

— Le comte de Vilez ? l'interrompit Ariane, en criant.

— Oui, il est passé juste avant que tu n'arrives, ce matin ; il était blessé, il est remonté vers le château…

Ariane hurla, bondit, cria, courut ; *ce matin* ! Il était blessé ce matin, il était *vivant* ce matin. Elle se précipita dans une allée – une allée au hasard – en appelant :

— Antonin !

23

L'étoffe en est moelleuse...

Courant toujours, Ariane parvint dans un bosquet un peu reculé. Il était jonché de bougies et de flambeaux que les festivités de la veille avaient consumés ; des serviteurs s'affairaient à nettoyer les lieux. Le soir même, les grandes fêtes reprendraient.

À plusieurs mètres de là, se tenait un jeune homme en pourpoint noir ; un pourpoint noir qu'en plusieurs endroits, des épées avaient transpercé.

Immédiatement, Ariane reconnut Antonin, et immédiatement, elle se précipita vers lui.

— Vous êtes vivant ! cria-t-elle.

— On dirait que cela vous fait plaisir, répondit-il avec, aux lèvres, un sourire ironique et paisible.

De longues secondes, ils demeurèrent silencieux ;

ils se dévisageaient comme s'ils n'avaient pu se repaître du visage l'un de l'autre. Puis Ariane repensa aux dernières paroles du comte, à ce « Ariane, je vous aime, fuyez » qu'elle avait cru entendre et se mit à rougir. Avait-elle rêvé ? Les souvenirs qu'elle avait de ce moment-là étaient si confus, si troublés…

— Comment allez-vous ? demanda cependant le jeune homme, d'une voix inquiète. J'ai eu si peur que vous ne…

Il n'acheva pas sa phrase.

— Je voulais vous remercier, reprit Ariane. Vous avez été si courageux, si…

Elle n'acheva pas sa phrase.

Le silence retomba, plus intense, plus embarrassé que jamais.

Ariane esquissa un pas en arrière. Elle n'avait qu'une envie : se précipiter dans ses bras, le serrer contre son cœur, lui qu'elle avait cru ne jamais revoir. Mais elle se forçait à rester immobile, figée. Tous ses muscles, raidis, en devenaient presque douloureux.

Finalement, Antonin reprit la parole :

— Que va faire Molière ?

— Rien, soupira Ariane.

Le comte l'observait du coin de l'œil ; et, pour la première fois peut-être depuis qu'elle l'avait rencontré, il avait l'air mal à l'aise.

« Je dois trouver quelque chose à dire », pensa-t-elle.

— Vous avez démissionné ? De la Compagnie ?

Antonin réfléchit un instant. Après avoir blessé trois ou quatre dévots, il avait acculé son parrain au sol, une épée sur la gorge, et il lui avait dit que, si jamais il s'en prenait de nouveau à Ariane, il lui trancherait le cou. On pouvait probablement considérer ça comme une démission.

— Oui, dit-il simplement.

— Vous n'êtes plus dévot ? insista-t-elle.

Il haussa les épaules : au fond, il n'en savait rien. En quoi croyait-il ? De cela même, il n'était pas certain. Il ne savait qu'une chose : il voulait plaire à Ariane. Quelques mots lui vinrent aux lèvres, presque instinctivement :

— *Ah ! pour être dévot, je n'en suis pas moins homme...*

Où les avaient-ils entendus ? D'où venaient ces paroles ?

— Le *Tartuffe*, sourit Ariane.

C'était un sourire amer, un sourire triste. Oui, c'était le *Tartuffe* ! réalisa Antonin. Sans qu'il le veuille, les vers de Molière lui étaient revenus aux lèvres.

Soudain, Ariane vit le visage du jeune homme se figer, très grave. Il était concentré ; il semblait réfléchir à quelque chose. Puis d'un air absorbé, il récita :

— *Ah ! pour être dévot, je n'en suis pas moins homme ;*

Et lorsqu'on vient à voir vos célestes appas...

— Que dites-vous ? demanda Ariane.

— Le *Tartuffe* ! répondit Antonin.

— Eh bien ?

— Je l'avais retenu par cœur.

Cela, Ariane ne le savait que trop. Il les avait espionnés, il les avait trahis. Mais le comte poursuivit :

— Et je crois que je m'en souviens ! Je pourrais retrouver le texte, enfin, la plupart des répliques…

Il fronça les sourcils, essayant de se rappeler de la suite :

— *Et lorsqu'on vient à voir vos célestes appas…*

Ce fut au tour d'Ariane de s'abîmer dans une profonde réflexion. Les comédiens ne connaissaient pas le texte, Molière ne se souvenait plus de ce qu'il avait écrit… mais elle, ne se rappelait-elle pas les répliques qu'elle avait tant de fois soufflées ?

— *… vos célestes appas…*, cherchait toujours le comte.

— *Un cœur se laisse prendre*, compléta Ariane, *et ne raisonne pas.*

Ils se regardèrent : la même idée venait de traverser leurs pensées. À eux deux, certainement, ils parviendraient à ressusciter le *Tartuffe*. Ils pouvaient donner à Molière une chance de convaincre le roi de le laisser jouer la pièce à Paris !

— Il nous faut une plume, et du papier, conclut Ariane.

— Scène trois, à présent, annonça Antonin.

Ariane, assise à côté de lui dans la grange, regarda avec satisfaction la liasse de papiers, recouverts d'encre, qui se trouvait devant eux. Le *Tartuffe* était presque sauvé ! Ils avaient pratiquement terminé ; il ne leur restait plus qu'un acte à achever. Déjà, le comte commençait à couvrir le papier d'une fine écriture ; peu à peu, la scène où Tartuffe tente de séduire la femme de son bienfaiteur renaissait sous leurs yeux.

Antonin trempa sa plume dans l'encrier, continua à écrire, puis s'arrêta. Il lui manquait un vers.

— Tartuffe dit : *J'en suis ravi de même, et sans doute il m'est doux,*

Madame... et après ?

Il avait levé le visage, il la regardait ; et son regard bleu, pétillant de lumière, ne l'aidait pas à se concentrer. *Et sans doute il m'est doux... sans doute il m'est doux...*, se répétait-elle, espérant que la suite vienne naturellement. Mais elle ne songeait qu'à lui, qu'à ses paroles de la veille : « Ariane, je vous aime, fuyez... » Mais l'avait-il vraiment dit ? Étourdie par le coup qu'elle avait reçu, n'avait-elle pas entendu ce qu'elle rêvait d'entendre ? À présent, il agissait comme si de rien n'était. *Et sans doute il m'est doux*..., se répéta-t-elle, tâchant de ne plus penser à Antonin.

— *Madame, d'être seuls loin de votre jaloux* ? suggéra-t-elle.

— Non, je ne crois pas. *Madame, de vous voir, et de ne voir que vous ?*

— Non, non, c'est quelque chose avec « seul », je crois.

— Je sais ! s'exclama le comte.

Rapidement, il écrivit quelques mots sur la page. Ariane le regarda d'un air interrogateur : quelle était donc la fin du vers ? Il lui sourit, et chuchota :

— *Sans doute il m'est doux, madame, de me voir seul à seul avec vous.*

Il avait parlé si simplement que les mots avaient paru jaillir comme un aveu, comme une confidence ; il semblait sincère en les prononçant. Pourtant, c'était bien le vers de Molière. Ariane rougit, et, pour masquer son embarras, dit :

— Après, ils parlent de tissus, il me semble.

— Oui, acquiesça Antonin. Tartuffe met la main sur le genou d'Elvire, et il dit… euh…

Il avait levé doucement la main, comme pour joindre le geste à la parole. Ariane, soudain, oublia de respirer. Les doigts du jeune homme s'approchaient, hésitants, du tissu de sa robe ; ils étaient à quelques centimètres de son genou. Un instant, il s'immobilisa, puis souffla :

— Elvire demande : *Que fait là votre main ?*

Ses doigts pianotèrent dans l'air, comme s'ils attendaient une réponse. Ariane, frémissante, se pencha légèrement en avant, vers lui. La voix d'Antonin se fit plus basse encore :

— Tartuffe répond : *Je tâte votre habit…*

La main suspendue, il la regardait droit dans les yeux.

— *L'étoffe en est moelleuse*, répondit doucement Ariane.

Comme s'il n'avait attendu que ce murmure, Antonin s'approcha d'elle.

« Il va m'embrasser », songea Ariane, le cœur battant à tout rompre.

Un tourbillon de sensations, vives comme des flammes, s'empara d'elle. Elle allait fermer les yeux, quand, soudain, le comte se recula.

Il s'éloigna d'elle, détourna le regard, reprit la plume, et nota sur le papier : « *Je tâte votre habit : l'étoffe en est moelleuse* ». Incrédule, Ariane le regarda. Pourquoi ne l'avait-il pas embrassée ?

À toute vitesse, sans réfléchir, Antonin nota les vers suivants. Il n'avait qu'une envie : se lever, toucher Ariane. Rester sur sa chaise, écrire au lieu de l'embrasser, était tout simplement insupportable. Mais les paroles de son parrain le brûlaient de l'intérieur : « Cette bonne à rien de couturière est votre maîtresse. » Il ne pouvait pas faire cela à Ariane. Il ne pouvait pas lui dire qu'il l'aimait, tout en sachant qu'aucun avenir n'était possible entre un comte et une couturière.

Ariane fit ce qu'elle put pour masquer la tristesse et la colère qui l'avaient envahie. Il ne voulait pas d'elle ? D'une voix glaciale, elle reprit :

— Continuons. Qu'y a-t-il après ?

— Après, il lui avoue son amour, répondit le comte, sans croiser ses yeux.

— Oui, oui, répondit Ariane, en faisant mine de se concentrer sur le texte.

Antonin était au supplice. Il l'avait vexée, il le voyait bien. Mais il avait beau avoir abandonné la Compagnie, il savait encore tracer la limite du Bien et du Mal. Il ne pouvait pas céder à la tentation.

— Il y a quelque chose avec « ardent », reprit-elle.

— Oui, c'est ça, acquiesça le jeune homme.

Enfin, il leva les yeux, et la regarda. Ce regard était tellement intense, tellement déchiré, qu'Ariane sentit son cœur qui se remettait à battre violemment. Les traits si droits, si précis de son visage étaient crispés, comme en proie à une violente lutte intérieure.

— *Et d'une ardente amour sentir mon cœur atteint*, souffla-t-il.

Il esquissa un sourire presque timide, et ajouta :

— *Ce m'est, je le confesse, une audace bien grande*
Que d'oser de ce cœur vous adresser l'offrande.

Un instant, le temps sembla suspendu. Puis lentement, le comte leva la main, comme pour prendre celle d'Ariane. Elle tressaillit. Les doigts du jeune homme effleurèrent les siens, imperceptiblement d'abord…

Soudain, un cri retentit, au loin, dans la grange :

— Ariane !

Les deux jeunes gens sursautèrent, et se séparèrent, comme pris en faute. Armande s'approchait :

— Ah, tu es ici ! Il est temps que tu viennes m'aider à mettre ma robe de princesse. Nous jouons dans une heure.

Soudain, elle remarqua les papiers étalés autour

d'eux, les répliques du *Tartuffe* qui s'enchaînaient, les unes après les autres, et explosa de joie :
— Mais c'est la pièce !
L'instant d'après, elle criait :
— Jean-Baptiste ! Madeleine ! Ariane a sauvé le *Tartuffe* !

24

L'habit des siècles d'or

Ariane tournait en rond dans les coulisses, nerveuse. Dans une heure, on jouerait le *Tartuffe* devant le roi. Toutes les actrices étaient costumées, et elle n'avait plus qu'à attendre. L'inaction forcée mettait ses nerfs à rude épreuve ; elle faisait les cent pas depuis près d'une demi-heure. De cette unique représentation, nul ne l'ignorait, dépendait l'autorisation du roi, l'avenir de la pièce !

— Ariane, va donc prendre l'air, au lieu de tourner comme un fauve en cage, lui suggéra gentiment Madeleine.

Ariane fit « non » de la tête, et continua à marcher de long en large. Elle ne voulait pas abandonner la troupe alors que le spectacle était sur le point de commencer. Et si un problème survenait ? Il suffisait d'un fil qui craque, d'une étoffe qui se découd, et les comédiennes ne pourraient pas entrer en scène ! Cette unique représentation du *Tartuffe* devait être parfaite, si Molière voulait espérer sauver la pièce.

Soudain, elle aperçut Élise qui se glissait dans les coulisses.

— Louise de La Vallière est prête, souffla celle-ci.

— La troupe aussi.

Les deux cousines se regardèrent avec un sourire triomphant : elles participaient aux fêtes royales, elles avaient confectionné des robes pour les plus grandes dames de la Cour. Le jour dont elles avaient toujours rêvé était enfin venu. Sans un mot, elles tombèrent dans les bras l'une de l'autre.

En serrant sa cousine contre son cœur, Ariane songea à ce moment, six mois plus tôt, où elles s'étaient brouillées. Comme tout cela paraissait loin, désormais ! Maintenant, elle faisait pratiquement partie de la troupe de Molière. Mais une chose était certaine : Élise resterait à jamais sa meilleure amie, sa sœur.

— Le comte de Vilez te cherche, chuchota sa cousine. Il voudrait te parler.

Ariane se figea. Depuis trois jours, Antonin n'avait cessé de demander à la voir, à Madeleine d'abord, à Armande ensuite, et à présent à Élise. Chaque fois, la jeune fille lui avait fait répondre qu'elle était occupée. Elle savait parfaitement ce qu'il voulait lui dire : qu'il était comte, qu'elle était couturière, que tout les séparait et qu'ils ne devaient plus se voir. Elle le savait ; et pourtant l'idée d'entendre ces mots-là la blessait si profondément qu'elle préférait se cacher.

— Ariane ! Ariane !

Armande, échevelée, s'approchait en courant. Elle mit quelques instants à reprendre son souffle, puis expliqua :

— Je viens de parler avec la reine. Elle a adoré tes robes – celles de *La Princesse d'Élide*, du défilé… et elle veut te voir !

Ariane considéra Armande, éberluée. La reine voulait la voir ? Élise laissa échapper un petit rire de joie. La reine !

— Dépêche-toi ! la houspilla-t-elle gentiment.

— Main… maintenant ? bégaya Ariane. Mais… le spectacle ?

— Et, une dernière chose, ajouta Armande, tandis que le reste de la troupe, alerté par le bruit, s'approchait. La reine demande à ce que tu portes la robe du défilé, celle des siècles d'or ; elle voudrait pouvoir l'admirer encore une fois, de près.

Ariane, abasourdie, entendit vaguement les comédiennes s'exclamer, ravies que leur couturière ait été distinguée par la reine. Ariane fut embrassée, enlacée, félicitée. Mais les mots de « la reine » l'avaient tétanisée ; elle n'entendait plus qu'un brouhaha confus.

Elle sentit vaguement qu'on la traînait, qu'on l'aidait à ôter sa robe, à passer le costume de l'Âge d'or. C'était la première fois qu'Ariane revêtait une de ses robes de Cour, et la sensation était étrange. Le corset lui coupa le souffle ; elle songea qu'elle allait suffoquer. En même temps, c'était grisant de sentir autour de soi ces flots de tissu, cette soie dorée qui frémissait au moindre de ses mouvements.

Un miroir était suspendu à l'entrée des coulisses, et la jeune fille ne put se retenir d'y jeter un coup d'œil en sortant. Stupéfaite, elle considéra sa silhouette illuminée par des cascades d'or, le foisonnement élégant du tissu sur sa poitrine. Elle songea qu'en cet instant, elle aurait très bien pu être une princesse.

Elle marcha dans la direction que lui avait indiquée Armande, au milieu de l'effervescence générale. Soudain, elle était l'égale des dames de la Cour qu'elle croisait dans les allées, et qui la saluaient.

« La Cour n'est qu'un théâtre comme les autres, songea-t-elle. Là comme ailleurs, c'est la couturière qui fait la princesse. »

De partout, les courtisans s'avançaient en direction du théâtre ; l'excitation était palpable. Le *Tartuffe*, dont on avait tant parlé, qu'on avait cru interdit, qu'on avait dit impie, allait être joué.

De très loin, Ariane aperçut la reine Marie-Thérèse. Elle descendait l'allée, entourée de sa suite et de dames de la Cour. La jeune couturière les regarda approcher, le cœur battant.

« Dans quelques secondes, songeait-elle, je serai face à la reine… Face à la reine… »

Et puis, enfin, elle fut là. La regardant à peine, trop intimidée, Ariane plongea dans une révérence maladroite et hâtive. Son mouvement était trop brusque, son inclinaison trop raide ; mais la robe dorée, instinctivement gracieuse et élégante, flotta légèrement dans l'air avant de retomber doucement à ses pieds. Grâce à elle, les gestes d'Ariane semblaient fluides et pleins de dignité.

Elle osait à peine respirer, à peine bouger, de crainte que tout cela ne se dissipe comme une illusion. Avidement, elle regardait autour d'elle, tâchant de mémoriser chaque détail, de percevoir exactement la magnificence de l'instant. C'étaient les bosquets riant de Versailles, l'éclatante lumière, le tissu doré de sa robe, les dames de la Cour qui détaillaient sa toilette…

— Cette robe est absolument somptueuse, la félicita la souveraine. Je n'ai jamais rien vu de si splendide.

— Si Votre Majesté le commandait, répondit Ariane en retenant son souffle, je pourrais lui en faire de plus belles.

La reine sourit. Ce sourire, Ariane n'aurait su dire combien elle en avait rêvé. C'étaient les heures de travail, la nuit, dans l'atelier, c'étaient les rebuffades de Blanchette qui prenaient enfin sens. Elle s'inclina une seconde fois, tandis que la reine ordonnait simplement :

— Je vous verrai au Louvre, dans quelques semaines.

Ariane sentit son cœur se serrer de joie tandis qu'elle regardait la reine s'éloigner. Tout était trop beau : le sourire de la reine, le parc frémissant dans la lumière du printemps, la fontaine, derrière, qui chantait joyeusement.

Soudain, Ariane se figea. Là-bas, derrière la fontaine, à moitié dissimulé par les filets d'eau, se tenait le comte de Vilez. Elle écarquilla les yeux : si elle ne l'avait pas remarqué, d'abord, c'est qu'il ne portait pas de noir. Pour la première fois, elle le voyait vêtu d'un pourpoint de couleur claire ; un tissu blanc éclatant, qui rendait ses yeux bleu plus pâles, plus lumineux que jamais.

Un instant, le temps sembla suspendu.

Puis, d'un pas rapide, sans hésiter, Antonin s'approcha d'elle.

— Je dois vous parler, annonça-t-il, d'un ton sans appel.

Ariane retint son souffle ; une vague de tristesse la submergea. À présent qu'était venu le moment de se dire adieu, elle réalisait plus que jamais à quel point elle l'aimait.

— Installez-vous ici, ordonna-t-il, en désignant un banc du doigt.

Il parlait d'une voix calme, froide, et la jeune fille s'assit en soupirant. Il resta debout, face à elle, et, sans hésiter, commença à parler :

— Ariane, je vais être très franc avec vous. Je veux que vous sachiez tout.

À quoi bon ? Elle ne voulait pas *savoir*. C'était lui qu'elle voulait !

— Après la mort de mon père, je n'avais plus personne – personne d'autre que le marquis, mon parrain. J'étais morose, j'étais abattu, je n'avais aucun but ; peu à peu, il a commencé à me parler de la Compagnie. Immédiatement, j'ai été séduit : il aidait les pauvres, il les défendait en justice contre l'oppression des riches, il les aidait à trouver du travail, il leur faisait la charité… Et, avec le marquis, tout était très facile, il n'y avait pas besoin de se poser de questions : il y avait le Bien et le Mal, et il suffisait de faire le Bien.

— Croyez-vous que je vous en veuille encore ? soupira Ariane. Vous m'avez sauvé la vie, vous avez sauvé le *Tartuffe*. Je n'ai jamais rencontré quelqu'un d'aussi courageux, d'aussi profondément droit que vous.

— Ariane, écoutez-moi, l'interrompit-il.

Elle se tut, et il reprit, de son ton calme, objectif :

— La première fois que je vous ai vue, j'ai été troublé. Et, plus je vous revoyais, plus je pensais à vous. Je savais qu'il fallait que je vous ignore – tout nous sépare ; nous ne pourrons jamais nous marier – mais je ne résistais pas au plaisir d'être avec vous.

Il prononçait ces mots d'une voix froide, comme s'il racontait l'histoire de quelqu'un d'autre, une histoire à peine intéressante.

— Le plus grave, c'est que, petit à petit, vous me poussiez à douter de la Compagnie. J'avais toujours justifié ses actions les moins reluisantes en me disant qu'elles prenaient pour cible des athées, des mécréants, mais tout à coup, vous étiez la victime, et je ne pouvais pas le supporter. Peu à peu, j'ai réalisé à quel point je m'étais leurré, à quel point la Compagnie était dangereuse. Et puis, quand j'ai compris que j'étais amoureux de vous, j'ai essayé de lutter. Je ne voulais pas vous avouer mes sentiments, je ne voulais pas commettre un péché.

Ariane baissa les yeux, fixant sa jupe dorée qui étincelait sous le soleil de Versailles. La confusion s'était emparée d'elle ; elle ne savait que penser. Le comte poursuivit, plus rapidement :

— L'autre soir, j'ai eu tellement envie de vous embrasser. Mais encore une fois, l'éducation que m'avait donnée mon parrain m'a arrêté. Céder à la tentation, c'est se damner. Pourtant, une fois que vous êtes partie, tout est devenu très clair pour moi. Je ne peux pas vivre sans vous.

Elle leva finalement les yeux, et lui sourit comme rarement elle avait souri à quelqu'un. Et, à le regarder dans la lumière dorée des jardins de Versailles, elle sentit son cœur s'emplir de bonheur.

Il lui sourit lui aussi, et ajouta, comme s'il constatait un fait anodin :

— Je vous aime plus que mon salut, je vous aime plus que mon âme, et plus que Dieu.

Ses yeux bleus pétillèrent un instant, d'insolence ou de joie, elle n'aurait su le dire. Puis il conclut :

— Et je suis prêt à aller en enfer, si vous m'aimez aussi.

D'un bond, Ariane s'était levée. Sa voix trembla et frémit lorsqu'elle s'écria :

— Je vous aime !

D'un même mouvement, ils s'approchèrent l'un de l'autre. Ils allaient s'embrasser – ils étaient déjà si près, leurs lèvres se touchaient presque – quand un énorme rire, une rumeur de joie, très loin, les interrompit.

C'était le bruit d'une vaste foule riant de plaisir.

— Le *Tartuffe*, dit Antonin.

Bien sûr, c'était la Cour qui riait, qui riait des plaisanteries de Molière ; la représentation du *Tartuffe* avait commencé et la pièce était déjà un succès. Un second rugissement de rire parut agiter le parc et secouer jusqu'aux arbres. Quelque part au milieu de cette rumeur joyeuse, se cachait – Ariane en était certaine – l'éclat de rire du Roi-Soleil.

Molière faisait rire la Cour, faisait rire le roi ; et il faisait rire le roi si fort qu'il serait bien difficile à Louis XIV demain, très bientôt, de ne pas autoriser la pièce. Molière triomphait de ses adversaires avec ses armes : le rire, la joie, le plaisir.

Un bref instant, Ariane regretta de ne pas se trouver là-bas, sur la scène du triomphe de Molière qui était également le sien. Puis, jetant un coup d'œil au comte qui n'avait cessé de la dévisager, si proche d'elle, elle réalisa qu'elle était parfaitement bien ici. Pour la première fois depuis son arrivée à Paris, elle ne souhaitait pas aller ailleurs ou être quelqu'un d'autre ; elle était heureuse d'être elle-même.

Sans hésitation, ils s'embrassèrent, et ce fut soudain comme si les rires de joie de la foule, au loin, redoublaient ; comme si le parc tout entier éclatait de bonheur.

Et Ariane songea que jamais Versailles n'avait été si magique.

Les faits historiques

En octobre 1663, Molière donna, à Versailles, la première de *L'Impromptu de Versailles*, devant la Cour et devant le roi.

En janvier 1664, Molière, qui venait tout juste d'avoir son premier fils, Louis, créa au Louvre une de ses premières comédies-ballets, *Le Mariage forcé*. Le roi dansait dans ce ballet dont la musique avait été composée par Lully ; Madeleine Béjart était déguisée en Égyptienne.

En avril 1664, la Compagnie du Saint-Sacrement, une société secrète regroupant des dévots, chercha à faire interdire le *Tartuffe*, dont elle avait eu vent d'une manière ou d'une autre. Les moyens mis en œuvre pour obtenir cette interdiction ne nous sont pas précisément connus – il paraît peu probable que la Compagnie ait adopté les procédés extrêmes qui sont décrits dans ce roman.

En mai 1664, le roi donna à Versailles d'immenses fêtes. Le duc de Saint-Aignan, qui les organisait, les baptisa *Plaisirs de l'île enchantée*. Les fêtes durèrent plusieurs jours, au cours desquels Molière et ses comédiens donnèrent de nombreux spectacles : ils participèrent au défilé, créèrent *La Princesse d'Élide*, rejouèrent *Le Mariage forcé*... et donnèrent la première du *Tartuffe*. Grâce à l'influence de l'archevêque de Paris, les dévots parvinrent à obtenir du roi que Molière ne puisse pas représenter cette pièce hors de la Cour. De retour à Paris, la troupe de Molière créa *La Thébaïde* de Jean Racine, qui fut un échec.

Les autres événements décrits dans le roman sont, pour l'essentiel, des inventions de l'auteur. Ariane, Antonin, Élise et Blanchette sont des personnages entièrement fictifs.

Le lecteur se demandera sans doute qui créa les costumes de scène et les robes du défilé, en l'absence d'Ariane. Le tailleur de la troupe de Molière était, en 1664, un nommé Jean Baraillon ; les robes du printemps et de l'Âge d'or furent imaginées par Henry Gissey, dessinateur ordinaire du cabinet du roi.

Quant à la longue bataille que Molière mena, dans les années qui suivirent, pour obtenir le droit de jouer le *Tartuffe* – eh bien, c'est une autre histoire.

TABLE